Enjoy是欣賞、享受，

以及樂在其中的一種生活態度。

失去你的3月4日
李玟萱—著

澤銘在加護病房時，一天只能進去加護病房探病三次，每次15分鐘。
這張紙條是澤銘在加護病房清醒後寫給玟萱的，沒有力氣的筆跡。

我想睡
在這陪我
陪我

／澤銘

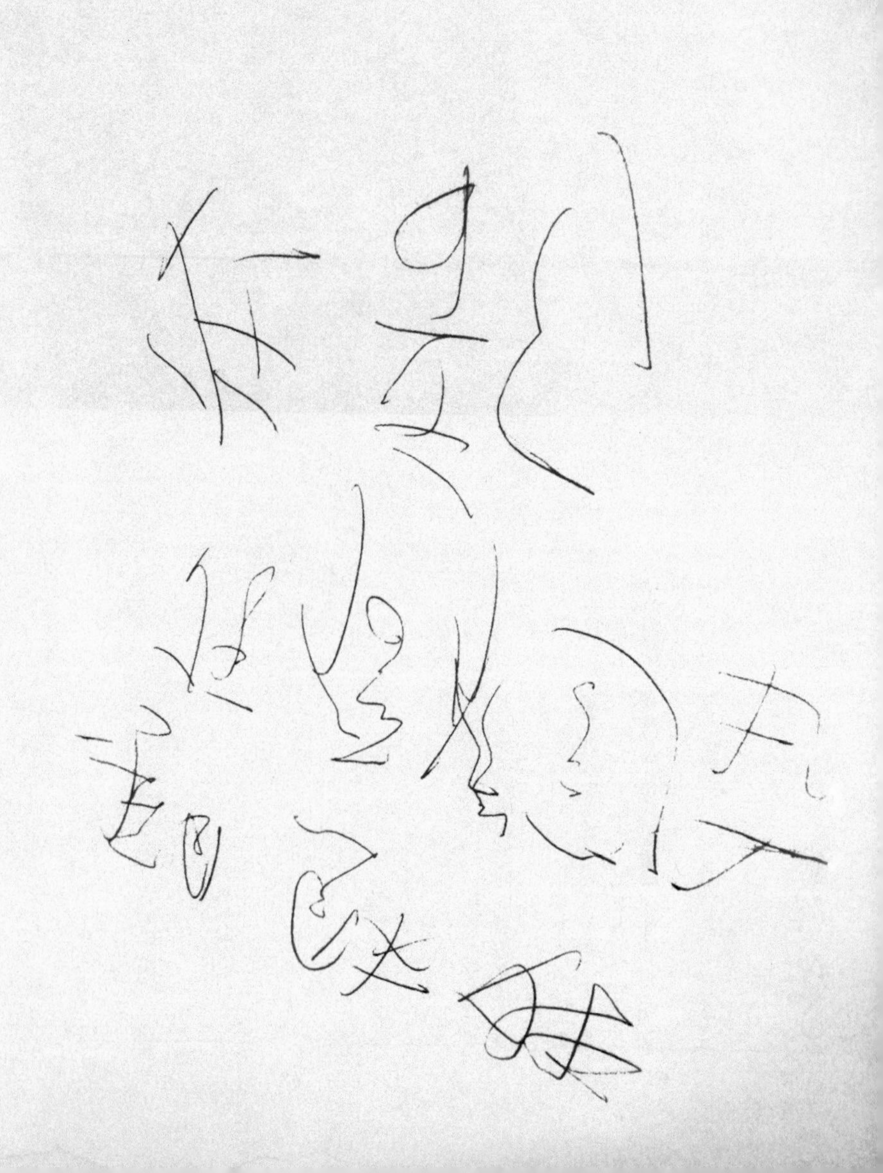

初識

一九九六年三月九日

澤銘愛騎單車，和學長M騎上淡水對面的觀音山，
山頂溫度只有三度。
下山後，澤銘在好友逸桓家認識了我。
那年，我十八歲，

幾乎是在澤銘開門走進的那一瞬間，
我就覺得「是他」。

一見鍾情。
世界上有「一見鍾情」嗎？
我相信，因為我對澤銘就是。

遺憾

一九九九年的澤銘，體力還很好，
在冬天的時候，我們跑到綠島旅行。

在巴黎，我站在巴黎鐵塔下仰望高聳的鐵塔。
回到淡水，我告訴澤銘：「我想將巴黎鐵塔留著未來和你一起上去。」
澤銘感動的笑著說：「好。我們一起上去。」

因為沒能跟澤銘上去巴黎鐵塔——
我的旅行，不再留給未來

當他身體稍好，我們緩慢地旅行。

澤銘說，雖然這幾年他經歷許多化療與開刀，但跟我在一起，他不會覺得自己是個病人，因為在配合他體力狀況的緩慢移動中，我們還是可以一起開心的旅行，體驗流浪的樂趣。

（這是一台冷氣不冷、音響不響、被A的亂七八糟，但陪著我和澤銘走遍台灣各地的二手March。）
／花蓮光復糖廠

缺氧

二〇〇六年底，澤銘不時和我談「藍屋頂」工程的事，有一次我生氣地問他：「為什麼我要知道這麼多？」

澤銘冷靜地說：「因為我會離開妳。」

那一瞬間，我必須用雙倍的力氣才能呼吸到一口氣。

離開。

三月四日中午十二點三十分，澤銘因胸腺癌離開人世。

我安靜的握著澤銘的手，將頭枕在他的右手邊，讓他陪伴我。

我安靜的體會他的溫度，逐漸冰冷。

我安靜的掉淚，浸溼床單。

我親吻澤銘的臉頰，我在他耳邊低聲說：「澤銘，我很愛你，再見。」

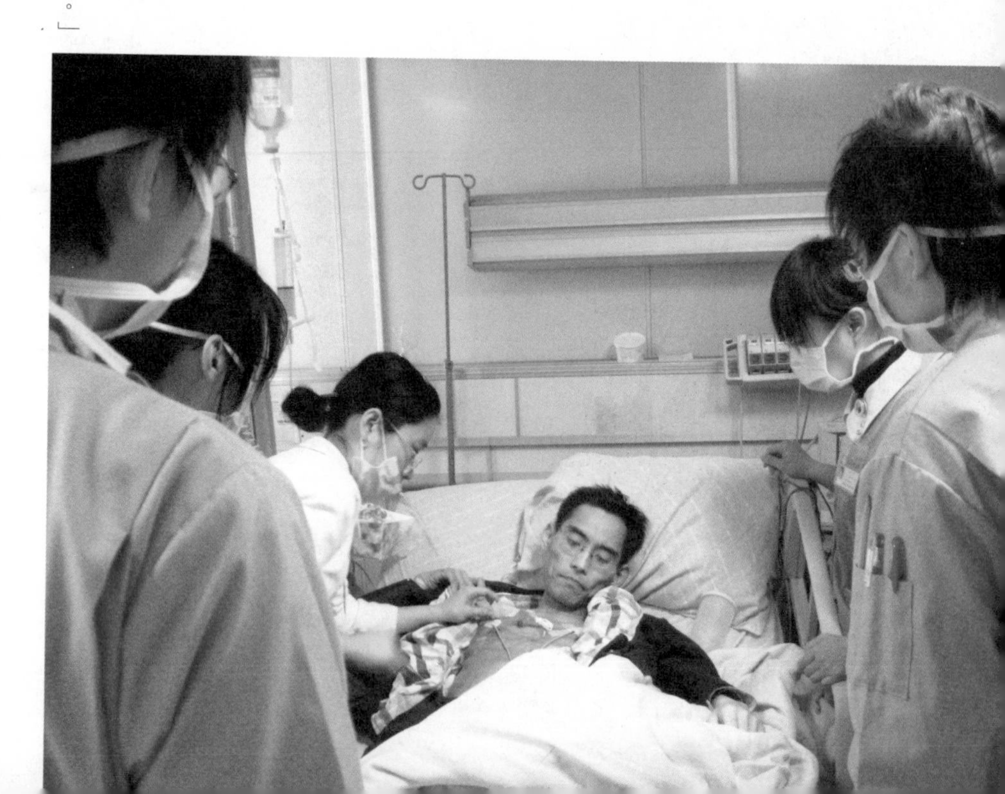

未竟的共同夢想。

我環顧找尋的是你。
即使身體不適，為了做藍屋頂的模型，澤銘也總是忍著。
如今，藍屋頂一點一滴地快完工了，
但，澤銘，你卻已不在我身邊。

觸碰不到的幸福。

曾經，我想像當藍屋頂完工時，
會是一棟有著燦爛陽光的房子……裡面會有你——

我將民宿名字取為：「藍屋頂——想念民宿」。「想念」，是因為我很想念澤銘。
「想念」，是因為澤銘曾經對我說：「為什麼妳還在我身邊，但我卻已經開始想念妳？」

萱：

回想這四個月痛苦的日子中，最快樂的時光，就是和你在一起的時候，連痛都變得幸福。

真的很抱歉，沒辦法照顧你一輩子……還讓你受到情緒的委曲。

相信妳曾要我學會「在痛苦中也要替人著想」「痛苦不是推卸責任的理由」。

希望我學會，希望妳也會學會放棄

澤銘

雖然澤銘不在了，我想他也一定會同意，「愛」是藍屋頂永遠的印記。

藍屋頂的第一批客人

二〇〇八年初，藍屋頂有了第一批民宿客人。

【推薦序】

這樣的守護

瞿友寧（導演）

凌晨三點鐘，我家的門鈴突然響了起來，瞬間亮起的對講機螢幕光亮一片，不見任何一個人影。

我開始擔憂起來……

不會是亂按門鈴的小孩，因為這個時候小孩子多半也撐不住了，早早上床去睡了，一定也不會是不小心按錯門鈴的鄰居，因為這個時候不早不晚，不管是夜歸的醉漢或晨起運動的老人家，都該會立即地與我胡言亂語，然後道歉或失笑重新尋找回家的門鈴。

我不安地下到樓下。深巷裡，會這個時候出現在這個巷弄的人真的不多，當然見不到一個人。

我不太信靈異之說，所以，是誰按了我家電鈴？

我猜測是投石問路的小偷，我甚至在門前抬頭打量我家的窗戶，思索著該怎麼樣才可以從一樓爬進我家？因為工作的關係，我常常很晚才回家，甚至數日未歸，所以，我老婆常一個人，萬一遇上了這樣的危急，該怎麼辦？

我開始從裝鐵窗想到保全……從找朋友來陪伴到分租房子，我只是不放心她一個人在家。

回到家，看著熟睡的她，我為我的慌張覺得好笑。這大半夜的擔憂，明早一起來，她必定全然不知。

一個人的幸福，有時候是來自於一個人對自己毫無保留的擔憂……我用這樣的心情，看著玟萱對澤銘的想念；也猜測現在人在某一個未知地方的澤銘，又會是怎樣憂心地守護文瑄。這樣的閱讀方式，我發現我會陷入很深，呼吸困難。原來這愛何等的重！

我在想一個人死後若是靈魂不滅，那心愛的人應該還是能感受到自己的守候吧。那現在守在藍屋頂裡的玟萱呢？她感受到了澤銘的守候嗎？

看著這本書的同時，正好也是辛樂克颱風方興未艾的時候，誰為她擔憂隻身在山上的危險？還是，越是風雨，越適合讓玟萱想念他？

我原本以為這是一個平凡的愛情故事，誰知道娓娓讀來，卻能感同身受。看著玟萱小心翼翼的收拾和澤銘的吉光片羽；好像我們也一點一滴，收拾起人生最燦爛的記憶，卻又常會無重力跌入深沈的海底，然後抓著這些記憶掙扎著，用最後一口氣告訴自己要堅強；於是隨即像是有人拋了一根繩子，倏地拉著你進入了繽紛的重新開

始認識的第一天。

這樣的上上下下，又陶醉且受傷。每天晚上獨留那一半的空位，並不會更好輾轉側身；味道會散去，想念卻是跟著自己靈魂遊走，歷久不散的；我相信藍屋頂會一直存在，它會是讓人安定的力量、愛情的證明、幸福的約定。所以雖然失去所愛，淚水會成河，但終究會洗清藍屋頂，待天氣好時光亮耀眼，成為和澤銘愛情共同的印記，緣起不滅……

最後，我終於還是想好了保護心愛妻子的方法。敬告宵小，你不會有機會的！我跟澤銘一樣，這樣的守護，是比我們生命都還重要的事情！

愛情　不一定是你發現後才開始的
愛情　更可能在你以為已經結束後還繼續
當生命中最愛的人離開我們之時

其實正以不同形式給予我們力量

讓我們一個人也可以築起藍屋頂

透過玟萱真誠的分享

這段真實故事的價值不只見證了真愛的存在

更帶給我們面對人生的勇氣

因為我們熱愛星星至深

所以就不怕黑暗

來自各方的深情推薦（依姓名筆劃順序）

余德慧（慈濟大學宗教與文化研究所教授）：

這是一本悼亡書。「悼亡」是將眼前當下推回到背景裡，反將惦念以縈繞的方式重新活過來，這種「活著」不可思議，因為只有伊人缺席，所有場景化為柳絮般的紛飛，在蒼茫的惦念空間裡勾引著悼亡者淚眼迷離、驚心動魄的真實心流。沒有悼亡，愛情會變成硬殼般的條條框框，而悼亡正是以摧枯拉朽的力量將這些條條框框擊成粉碎，讓思念鋪天蓋地地佈滿切切詩意。

林靖傑（《最遙遠的距離》導演）：

不迴避地書寫想念與悲傷，很令人感動！

胡曉菁（佳音電台製作主持人／達希整合行銷總監）：

生與死，原在地極的兩端，無法跨越，永無交集。

上帝的愛，卻在玟萱與澤銘間，如同虹橋，跨越生命的極限，使兩造的誓約，藉著一條永生的道路，得以締盟於天堂的彼端。

藍屋頂下發現愛，瞬時與永恆，生與死，原來都近在咫尺……

楊玉欣（罕見天使）：

人如何面對死亡？如何面對愛人的離去？如何在破碎中堅強？如何在深度劇痛中向前邁進？生命的奧秘，信仰給出絕對的答案，愛情給出神聖的悲傷與甜蜜。這位走進奧祕裡的女孩玟萱，帶我們探索豐富、深刻、永恆的期待。

楊翠玲（聯合線上內容部生活組主任）：

什麼樣的愛，令人有刻骨銘心的真；什麼樣的愛，令人有堅毅執著的情；什麼樣的愛，令人有椎心刺骨的痛。這是玟萱和澤銘之間的愛情。

玟萱藉由細緻、動人、真摯的筆，述說她對男朋友的愛和思念，生死相隔、字字真情、句句感動，融化我漸漸封存在內心深處的柔情。

澤銘蒙主召喚，玟萱如何藉由親友的陪伴和支持、信仰的力量和依賴以及自我的對

話和建設，反覆克服困難、鼓起勇氣，終於完成兩人的夢想——藍屋頂？如果你太久不曾感動，推薦你這本書，你會和我一樣，眼淚不由自主的滑落雙頰，並衷心祝福一位陌生女子——玟萱，默默為她加油打氣。

蔡淑媖（台北縣書香文化推廣協會理事長／故事媽媽資深講師）：

讀這本書，分享著這個女孩的愛情故事，我的內心無比感動，但也有絲絲的心疼，因為，我是擁有兩個女兒的母親。

父母親們應該讀讀這本書，用自己深沉的年輕渴望去體會這段刻骨銘心的愛情，再以此心情回頭看待自己的子女。孩子要經過愛情的烒煉後才算真正長大。我由衷祝福這個女孩！

目錄

【前言】恆長的星光

澤銘：

還記得我們第一次的露營嗎？

一九九六年開學前的九月下旬，我滿心歡喜的從高雄出發，搭乘客運到南投埔里與先行抵達的你和好友逸桓會合。車行過草屯後，公路兩旁逐漸出現伴隨著蜿蜒小溪的蓊鬱山谷，每穿越一個昏黃的山洞，就覺得與你又更近了一些。

那時，我以為自己對你的傾慕藏得恰到好處，但偶爾瞥見車窗中的倒映，才發現臉頰上不自覺的微笑其實已經掩不住這個祕密。（你是否也早就察覺了呢？）

在埔里轉搭鄉間公車後，終於一同抵達了三十公里外的惠蓀林場。你們不僅張羅好所有野外生活的器具，還細心的為我多背了一頂單人帳，希望能讓我睡得更自

在些。

夜晚，我們三人或坐或臥的在大草坪上聊著天。森林裡沁涼的空氣，讓皮膚彷彿凝上了一層薄薄的輕露。

無意間，我抬頭仰望夏夜的星空，忍不住驚呼讚嘆起生平經歷的第一次輝煌。

你們告訴夜空下望得出神的我：此刻所見的星光，其實是距離現在許多許多光年之遠的星星所散發出來的。也許，某些星星已經不存在了。

「星星死了，我卻還能見到它散發出的光？」

十九歲的我，震撼於你們所描述的天文現象，在燦爛的夜空與死亡的悽楚中，微微蹙眉，無法想像星星的光亮為什麼能如此恆長？

二〇〇七年年底，我搬進了我們期待多時的新家——「藍屋頂」。

這塊坐落於埔里小鎮半山腰的迷你農地，你原本擔心我會因為太偏僻而不喜歡，但我知道這是你唯一負擔得起，而我們也應知足的夢想之地了。

只要一想像你每天下班開車回家時都可以見到從這個城堡所透出的溫暖燈光，我的心底就泛漫起帶著清甜的幸福。

當我第一天在「藍屋頂」的晨曦中醒來，我躺在鬆軟的枕頭上，惺忪地望著窗外敞落下來的陽光，那個葉隙的幅度，好像……好像……太寬闊了，組合屋旁那片樟樹林的陽光應該是細碎的光點……

我驀地坐起身。

僅僅是這麼細微的光影改變，都足以令我身心震顫：澤銘，我真的在「藍屋頂」了。

但，你卻已不在我的身邊。

有一段時間，每當意識到這個巨大的事實時，我的身心就像啟動了保護裝置般瞬間

斷電兩秒鐘，讓自己不被最強的那道電流擊傷昏厥。
但我仍抵抗不住的從最初堅持完成「藍屋頂」的倔強，一路走向完成後卻低盪難熬的軟弱。
有時，我就坐在停妥於大門前的車上，不想下車。
那裡，沒有燈光。

這段蹣跚悠悠的過程，就像是赤著腳獨自走在石頭路上，冰涼的、滾燙的、刺痛的、滑漉的，每一步的觸覺與聲音，都強烈的刻印在心裡與腦海裡。
家人與朋友們紛紛以最綿密的織網守護著我，讓我徬徨無依的心，一次又一次地，被他們溫熱的圈網，再細細的以情感熨燙妥貼。

可是，你知道我環顧找尋的，是你。
只要見到你，所有安慰的話語都不用說，所有的堅強都不用假裝，所有的傷痕都不必隱藏；哭到盡頭時，力氣似乎也回來了一點點。

銘，如果不曾愛過你，該有多好？

我就不必知道：原來會有一個人在我生命中是這樣的無可取代，一旦失去了，就像踩不到底的直往下墜，卻一點也不想掙扎。

但，終究還是寧願啊，因為你的愛，也是那樣直見心底、無可取代。

因此，我只能勇敢。像你一樣勇敢。

一如多少次在病榻前、在你的耳邊，我近乎哀求的對你說：「澤銘，不要離開我好不好……」

你總是用溫柔又不捨的擁抱來回應我，我卻不記得你真正的答應過我：「好」。

面對上帝所定的生命終點，即使你無法時時昂然，卻也不致頹然欺哄。

於是，你還是離開了。

在我們共同走過十年又360.5天之後。

但當年在惠蓀林場的星空下，你其實早已讓我明白：即使距離遙遠、即使死亡，我卻仍能看見它恆長的光亮。

走出屋外，抬起頭，還有星光。

寫於認識十一年前夕

世界上有「一見鍾情」嗎？

我相信，因為我對澤銘就是。

第一次見到澤銘，是在寒流過境、淡水氣溫不到十度的一九九六年三月九日，地點在淡江墮落街一棟老舊公寓的頂樓——他的同學、我的好友逸桓家中。那年，我十八歲。

見到澤銘的時候，我幾乎是在他開門走進的那一瞬間就覺得「是他」。

那是一種令人難以置信的感覺，在那一秒鐘認出自己未來的人生伴侶，實在太牽強，卻又那麼真實。

連逸桓都說，那一晚，他覺得我和澤銘是同一個世界的人。

我後來曾經跟澤銘撒嬌抗議：「你都沒在第一眼見面時就喜歡我，甚至走在校園碰到你們這些學長的時候，大家都會開心的跟我打招呼，只有你酷酷的不理我。」

澤銘委屈的說：「我在認識妳的那一晚就喜歡妳了，因為妳的談吐讓我印象深刻，可是妳綁著兩條麻花辮，又小我五歲，我只能當妳是個『很不一樣』的小妹妹。若不是喜歡妳卻又覺得不適合，我何必裝酷？」

不管是真心還是馬後砲，我聽了都很高興。

我們開始有多一點的了解，是因為廣播人「李文瑗」。

澤銘知道我高中的時候很喜歡聽李文瑗在中廣主持的「午夜琴聲」，就主動出借他哥哥側錄的「午夜琴聲」廣播帶給我。

而我每聽完一捲帶子，就會寫一封信跟他談談我對內容的一些想法，再連同帶子交給他。

偶爾，他也會回信分享他的看法。

那時候的我，覺得他的觀點彷彿是帶領我到天空飛行，從另一種視野來看世界。

我們這樣來來回回通了一學期的信。考完期末考的時候，澤銘向哥哥借車子來淡江打包暑假的東西，並約好大夥兒一塊兒開車去夜遊。

結果到了臨出發的那晚，一個一個都有事不來了，最後只剩我們兩個人開著車走陽金公路到基隆廟口吃小吃、看基隆港的夜景，再從淡金公路回來吃淡江中學旁凌晨四點開始營業的「文化阿給」。

那一晚，車上的音響曾經播放了一首鄭怡的〈天堂〉。

最後一句口白是這麼說的：「沒有你的地方，就沒有天堂……」

暑假接近尾聲時，我和澤銘及逸桓到南投的惠蓀林場去露營，還是窮學生的我們是搭公車進去的，所以買瓶飲料要走兩公里、洗個澡也要走兩公里；第二天還因為聽從林場研究生的建議，想去找日據時代的古道，結果卻在山裡迷了路，最後是靠著逸桓和澤銘判斷溪流的流向才走出來的。

摸黑回到紮營地的時候，我們整整走了八個小時。（後來澤銘跟我說，就是因為那一天

我從頭到尾沒喊過累，也沒擺臭臉、發牢騷，他才發現我不是他想像中的嬌嬌女。）

那天晚上，我和逸桓坐在營火旁泡咖啡聊天。逸桓很認真的告訴我：「過了這個村，就沒這個店了。」

這句話，讓我決定勇敢的往前踏一步，和澤銘在開學的前一天開始交往。

但即使是男女朋友了，我們依然很ㄍㄧㄥ，因為還不認識澤銘的時候，就已經和他的同學們是好朋友了，而且我們總是一大群人在一起，為了不讓大家感到不自在，我們兩個都盡量保持距離，連騎機車出去玩的時候，我也只敢抓住車尾，而不是抱他的腰。

第一次牽手，是和大家去看國慶煙火時。他伸手拉我爬上河堤後，又多牽了一會兒，直到他同學世明和猴哥轉頭要跟他講話時，我們才突然分開。

大概是因為以前太ㄍㄧㄥ了，額度沒用完，所以交往到現在十年多，我依然喜歡牽他的手、喜歡抱他。

我對澤銘的擁抱有很深很深的眷戀，真希望自己和他變成連體嬰，到哪裡都不分開。

去年年底，我受了很大的委屈，可是為了體貼別人的緣故，我只能壓抑著自己。見到澤銘的時候，他什麼都沒說，只是張開雙手，讓我倒在他的懷裡放聲大哭。他的擁抱，總是給我最溫柔的力量。

不過，我偶爾還是會跟澤銘嘔氣。記得在台中工作時，有一天他跑來台中看我，但我卻對他發脾氣，一整晚都跟他冷戰。第二天清晨五點他要趕回南投山上上課時，把我搖醒並叫我看身分證的背面，我睡眼迷濛的看了一下又沈沈睡去，到辦公室後才發現：我身分證背面的「配偶欄」竟多了用鉛筆寫上的三個字：「陳・澤・銘」。這三個字，道出了他的心意，也讓我甜蜜至今。

澤銘會到南投山上教書，一方面是他喜歡原住民的孩子，另一方面──也是最大的原因，是為了我。當時在修教育學程的他同時在精英電腦上班，對於資訊業有很大的熱情，可是我決定要留在埔里參與重建工作不回台北了，他又不忍心我幾乎每晚哭著想念

他，所以一畢業就辭掉精英電腦到仁愛國中考教職。

我知道，澤銘人生的重大決定除了是上帝的帶領，其他都是無條件的依著我，而我就這樣一直領受著他對我的呵護與陪伴。

現在的「藍屋頂」也是這樣成形的。

澤銘原本只想蓋一個自己住的房子，卻因為要完成我的夢想，而慢慢調整成民宿與咖啡館的規模。

澤銘曾經跟我說：一個家庭裡面，一個人做穩定的工作就夠了，另一個人應該要勇於冒險，實踐自己的夢想，不要留下遺憾。

澤銘，謝謝你一直讓我擁有你的愛、你的支持。

我想跟你說：我希望我的夢想是和你一起完成，因為，沒有你的地方，就沒有天堂。

【天堂】

年輕的日子裡　我走了好長好長的路
只為了想去找　屬於我夢想中的天堂
如果真的有那樣的地方
我想應該是一雙渴望你的眼睛
一雙熱情等待你的臂膀　還有一盞溫暖的燈
那　就是天堂

沒有你的地方　就沒有天堂

節錄自〈天堂〉　詞曲／鄭華娟　演唱／鄭怡

天使走過人間

二〇〇七年三月四日下午十二點三十五分，澤銘向大家告別，安息在上帝的懷抱。

他生命中的最後九年，都在胸腺癌的發病、復發、二度復發，以及許多併發症中度過，甚至有半年時間，他因為開刀傷到神經而失去聲音，我們只能憑著文字與默契溝通。九年來，澤銘住院二十次以上、病危通知收到近十張，但是靠著上帝的恩典與祝福，澤銘的「生命畢業旅行」愈走愈精采。

謝謝每一位知情的朋友不斷地關心我們，或是為我們代禱。

也向每一位不知情的朋友說聲對不起。「不說」，是為了不忍你們擔心。

至於爸爸、媽媽，請原諒我不知如何向你們開口。我知道你們一定捨不得女兒受苦、希望我一輩子無憂、幸福，可是，我真的很愛澤銘，所以只能選擇隱瞞。

三月一日，澤銘決定住進安寧病房。

他跟陳媽媽說：我們自費住個人病房好不好？這樣可以讓玟萱有比較好的看書環境。

三月二日，澤銘精神不錯，我回奶奶家前，邊聊天邊用護手霜幫他按摩一個多小時。陳媽媽說，澤銘在跟我撒嬌。

三月三日，澤銘突然進入了深深的熟睡狀態。

晚上十點趕到安寧病房時，澤銘在我走進房門的那一刻張開了眼睛，還以含糊的字句斷斷續續地跟我說話。

他說，他記得三月九日是我們認識十一週年，並告訴我：有很多人要他睡覺。

我問：那裡有光嗎？澤銘說：沒有。我告訴他：你要確定有光、看到上帝和天使才能走喔。他點點頭，然後又陷入了深深的熟睡。

陳媽媽曾經不只一次的跟我說，澤銘最放心不下的就是我，所以，我整夜都握著他的手、陪在他的身旁。偶爾，依偎在澤銘的肩上，像以前一樣。

只是，這回我再也忍不住淚水：「銘，你知道我好愛你，你也知道我很捨不得你，但如果這是上帝安排的時間，你就安心的跟著上帝走。我會好好照顧自己，我會堅強，以後到天堂我們又可以相聚了。」

澤銘有時會醒過來摸摸我的頭髮、輕輕地碰我的臉、給我一個溫暖的微笑。後來，他不再睜開眼、不再能說話，但我知道：他聽得到。

三月四日中午，大哥大嫂再度帶著兩個小朋友來看澤銘。

書涵說：「阿・ㄐㄧㄝ，祝你早日康復、耶穌愛你。」

語涵說：「阿・ㄐㄧㄝ，耶穌保護你。」

澤銘聽到了兩個小朋友的祝福，他張開雙眼，緩慢而堅定地伸出手緊握著大哥和大嫂。

鬆開手後，澤銘用盡最後的力氣拔掉氧氣罩，並以手勢告訴我們不要再戴、要安靜。

五分鐘後，澤銘平靜地離開了，這是他和上帝約好的時間。

三十五年，澤銘活出了短暫卻豐富的一生。

感謝上帝讓我能陪伴他這麼多年，尤其是生病後的他，以及他離開人世前的夜晚。澤銘帶給我太多太多，直到離去那一刻，他仍在教我如何面對生命的盡頭、如何隔著淚水看著心愛的人進入永恆。

今天，書涵摺了一個紙天使給我，她說：「玟萱阿姨，阿・ㄐㄧㄤ變成天使了，所以我摺一個天使代替阿・ㄐㄧㄤ照顧妳。」

語涵看著澤銘的照片說：「我好想阿・ㄐㄧㄤ。阿・ㄐㄧㄤ變成天使了。」

我告訴語涵：「阿・ㄐㄧㄤ雖然變成天使，但是他很愛妳們，所以他在天堂還是會想妳和姊姊。」

語涵說：「還有玟萱阿姨。」

二〇〇七年三月九日

澤銘：

三月九號的早上，我在仁愛國中整理著你的藍色旅行袋。

陳媽媽說，這個袋子裡裝著你許多重要的回憶，從離家唸五專開始，不管搬到哪裡都會帶著這個袋子走。

我一一翻著你從國三到大學的紀錄。

9日
馬偕登台
台神．淡中校慶
淡水．土東設教
與我現任女友相認識
完全不懂台語的外省人．我的夏特
單車上觀音山
這個日子 很長老全
很淡水．

其中，我看到了這一頁。

看到「負擔」這兩個字，我忍不住笑了。

這個詞你用得真是雙關。

在信仰的解釋裡，我可以是你的「負擔」：你的使命與責任。

在感情的解釋裡，我也是你的「負擔」，但卻是甜蜜的負擔。

還記得你曾用長老教會的結婚誓詞寫過一首〈堅持〉，雖然是我不熟悉的台語，但我仍然被歌詞裡的守約而觸動。

……

無論安樂抑是困苦　豐富抑散窮　我攏會尊重了解你

無論健康抑是衰弱　好額亦散赤我攏會疼惜安慰你

……

人生的路同齊行到尾　責任的問題我及你欲同心擔到底

有一回，埔里蒙愛教會的小組聚會裡出了一個問題給大家：「一年當中，哪一天對你而言是最有意義的？」

那天你沒有被點名回答，但是後來我好奇的問你會選哪一天時，你告訴我：「三月九號。」因為那一天會讓你想起淡水、思考長老會，而且，認識了我！（笑）

三月四日，你走後的一個小時，從小看著你長大的牧師及長老們全都趕到了。我卻覺得非常孤單。

以前我們兩個會擔任彼此的翻譯官。你翻譯著你身邊的台語，我翻譯著我爺爺奶奶的大陸鄉音，而此刻，沒有你在我耳邊打暗號，我陷入了完全斷裂的世界。

直到好友猴哥從台北趕到，我才重新擁有「我們」的共同感。

我要猴哥坐在我身旁，因為他的存在，可以讓我連結、安頓在有你的地方。

三月五日，我跟著哥哥去挑骨灰罈、選靈柩、辦死亡證明、除戶證明……

哥哥說，還好我沒進去戶政事務所，因為當辦事員在他面前把你的身分證剪掉時，他的心被狠狠地扎了一下。

我坐在車上微笑著說：「你現在轉述給我聽，不是讓我也被扎了一下？」哥哥說：「對厚！」

不知道是我適應得太好了，還是我根本還沒開始適應，其實這一整天，我並不難過。

因為我只覺得自己是在幫「某個人」處理事情，可是「這個人」不是「你」，不是我熟悉又親近的澤銘。

晚上，建築師M來了，他說：「澤銘先回家了，所以我來陪陪你們。」

他覺得，你的離開不代表著結束，而是會一直延續下去，因為每個人的生命意義都會建立在別人的身上；我是你關心的人，所以看到了我，也就看到了某部分的你。

突然間，我感到自己又重新完整了，原本隨著你離去而被剝離的那一半，又被你補了回來。因為你的同在，將讓我在未來的生命裡，除了自己，還有你。

三月八日，我們認識十一年的前夕，我回仁愛國中幫你辦人事手續。教導主任雅萍和輔導主任依婉找我討論學校想為你舉辦的追思儀式。

雅萍的眼睛一開始就水汪汪的，後來終於盛不住淚水；依婉也是說著說著就哽咽了，我知道她們心裡很不捨。

辦完人事手續後，阿山老師帶著一個裝滿學生祝福卡片的大信封來找我，最疼你的護士阿姨也向我們走來。

山上的空氣冷冷的。我們三個人坐在操場邊的石頭台上邊笑邊流淚的談著與你有關的事，雖然傷感，卻不沈重。

阿山說，你常跟他提起我，每次都是形容我有多麼特別，唯獨有一次我對你鬧彆扭了，你跟他說：「玟萱真的很特別，可是，也好奇怪喔。」我聽著他模仿你的語氣而笑了出來。

阿山還說，去年「藍屋頂」入圍華文部落格生命紀錄獎時，你很以我為榮；後來決選時我竟然還在名單裡，你更是開心。其實我當時並沒有特別看重這件事情，但今天聽到阿山提起，我才知道「藍屋頂」的入圍曾經讓你這麼高興。

阿山也說他曾跟你提過，他想幫助一位柬埔寨的朋友申請獎學金來台灣唸書。過兩天，你竟然已經主動列印好獎學金的申請資料交給他，讓他感動又驚喜。

還有一次他遇到一件棘手的事，他慌得不知如何是好，沒想到你早已幫他想好解決的方法。當時他激動的對你說：「我真的不知道該怎麼謝你，我可以抱你一下嗎？」而你也笑著讓他抱了。

只是他一抱，才驚覺在背心與外套刻意遮掩下的你竟如此削瘦。

你剛進仁愛國中任教的那一學期，每當放學後，你就和擁有一副布農族好歌喉的阿山老師抱著吉他帶學生唱詩歌，學生都會開心地從宿舍跑下來和你們一起唱和。

後來你發病了，常常痛到要阿山幫你貼藥布和束腰，你才能撐著身體繼續上課。

聽到這段過去，我的心被揪得好痛。但是一想到現在你已回到上帝的身邊，沒有病痛，只有平安與喜樂時，我就覺得很安慰。

阿山是個真性情的人，他在我面前談你時，毫不掩飾的讓眼淚靜靜流下來。他說你很看重他，認為他有很多很棒的特質，常常要他試試看、再試試看。

我相信。

因為你總是看到別人良善的、恩賜的那一面，包括任性又急性子的我，在你眼中依然充滿了無限可能，更重要的是，你讓我感覺到你願意陪伴我去實現這個可能。

護士阿姨說，你很怕麻煩別人，也不想讓人擔心，所以即使你痛到臉色發白、冒冷汗，仍然不肯讓她通知媽媽來學校看你。

護士阿姨也說，你是個溫和沈穩的人，無論其他人再怎麼匆忙，只要看到你，他們的心裡就覺得很安定。

那一瞬間，我突然意識到：阿山和護士阿姨說的那個人，就是你，就是我熟悉的、依賴的、深愛的澤銘，而這個你卻已經不在了……

回到你的宿舍，我開始放聲大哭。我不斷地禱告懇求上帝，求祂讓你坐在我的身邊陪伴我。

因為我真的好想你。

而你一定會什麼都不說的緊緊抱著我，然後拍拍我的背，幫我擦眼淚。

一直到好友鈺芬打電話來時，我仍然哭得很傷心。鈺芬說：「玟萱，妳太堅強了，妳還在部落格上安慰別人，妳不需要這麼堅強的。」

其實那不是ㄍㄧㄥ出來的堅強，而是因為我知道你在哪裡，所以不會感到絕望。只是，當我意識到短時間內都看不到你，以後的生活裡也沒有你來分享我的生命，我的心底就湧起無法承受的孤單。

我跟鈺芬說，我覺得是你安排我回來仁愛國中哭的，因為當我走進你辦公室時，你同事的電腦竟然剛好播放著〈天堂〉——我們第一次出遊那晚車上播放的歌。鈺芬說，你從以前就總是會幫我把事情都安排得好好的，所以她也相信是你帶我回來仁愛國中盡情地哭一場。

晚上，美君老師幫我到霧社買了晚餐，還準備好隔天的早餐。她說以前你在宿舍身體不舒服時，她也是這樣照顧你。

美君體貼的要我繼續哭，而我也像個耍賴的小孩子一樣，真的就抱著你的棉被繼續哭。

我想，是上帝聽到了我的禱告。我哭到睡著了，就像在你懷裡那樣安穩的睡著。

三月九號，我在學校的鐘聲裡醒來，心裡感到好平靜。

在經過前一晚的大哭後，我知道你已經釋放我的情緒，給了我想念的勇氣。

而往後的每一天，我知道我依舊有你陪著我，陪著我呼吸、陪著我勇敢的走下去。

——二〇〇七年三月九日

我在海拔一千四百公尺的山上

這個日子　很篤定　很澤銘

【不再讓你孤單】

讓我輕輕的吻著你的臉
擦乾你傷心的眼淚
讓你知道在孤單的時候
還有一個我陪著你
讓我輕輕的對著你歌唱
像是吹在草原上的風
只想靜靜聽你呼吸
緊緊擁抱你到天明
路遙遠　我們一起走
我要飛翔在你每個彩色的夢中
陪著你
我從遙遠的地方來看你
要說許多的故事給你聽
我最喜歡看你胡亂說話的模樣逗我笑

儘管有天我們會變老
老得可能都模糊了眼睛
但是我要寫出人間最美麗的歌送給你
路遙遠　我們一起走
我要飛翔在你每個彩色的夢中
對你說我愛你
我不再讓你孤單　我的風霜你的單純
我不再讓你孤單　一起走到地老天荒
我不再讓你孤單　我的瘋狂你的天真
我不再讓你孤單　一起走到地老天荒
路遙遠　路遙遠
我不再讓你孤單

詞曲・演唱／陳昇

玻璃球

我的心裡，有著一顆玻璃球。

玻璃球內，是澤銘離開的事實。

我常常清楚地、透明地，隔著玻璃看著這件事。

玻璃球外，澤銘依舊在我身旁，我常常甜蜜地、安靜地，甚至怔忡地感受他的存在。

而我的身體和我的心裡，有著彼此意識卻不受影響的平行距離，我仍能一如往常的生活、行走、談笑……，但心卻在另一個時空中……

這顆玻璃球，會熱脹冷縮。

人少的時候，它安定地住在我的心裡，我和它溫柔相待。

人一多，它就意識到自己的格格不入而開始膨脹，讓我的心被壓迫得悶悶地說不上話。

我只能努力站穩，讓玻璃球保持平衡。

直到有人來擁抱我，玻璃球才會被熱度融化，而裡面的事實，也會躍然至眼前，成為真實。

但，也有一種擁抱，是和我一起用「愛」來穩住這顆玻璃球。

這種擁抱，也許是雙臂，也許是歌聲，也許是文字，也許是禱告，也許是默默的祝福。

澤銘的追思禮拜，讓我得到這輩子最多的擁抱，所以才能在不捨中，微笑多於淚水。

安放骨灰罈時，學妹小優扶著我怕我倒下，但就像火化時一樣，我一滴眼淚也沒掉。因為我知道澤銘不在火裡，也不在罈裡，他在天父的旁邊、在我們中間。

當仁愛國中的畢業生以純淨嗓音唱出〈有一位神〉時，我甚至相信澤銘也在專注聆聽，因為，是這些師生讓澤銘最後這幾年的生命因他們而更有意義。

追思禮拜結束後，我和每一位遠道而來陪伴我和澤銘的朋友們敘舊，還有好友越洋電話

的安慰。

有些朋友體貼我所面對的人群而先行離去，有些朋友貼心的在一旁守候，只為了抱抱我、跟我說幾句話。

甚至有素未謀面的朋友，因著澤銘的生命而來。我們見了面，只覺得彷彿早已熟悉。

我站在禮拜堂外，薄雲的天空、和煦的陽光、輕拂的微風和翠綠的草坪。溫暖的情感在每一個人之間流動。

我幾乎以為，那就是天堂。

有朋友說，他很高興他來了，因為他在這裡，感受到的是滿滿的愛。

我想說：我也是。

謝謝大家。

繼續勇敢的理由

在澤銘的追思紀念集裡，沒有我寫給他的話。十一年的相知相伴，我竟不知道要對他說些什麼。

一位淡江的學妹倩筠，我們彼此雖不認識，她卻在看了我的大學同學老梁轉寄給她的〈天使走過人間〉後，為我們寫了這首〈跨越彩虹〉，並願意來到追思禮拜中為我們獻唱。

我最親愛的　當我握著你的手　這一刻不需多說什麼　能這樣就足夠

我最親愛的　當你握著我的手　時間停在最美的鏡頭　最平靜的眼眸

思念

二〇〇七年三月二十七號，澤銘離開人世後，我第二次回到埔里。這一次和上回為了上山參加仁愛國中追思會而短暫停留一晚的感覺很不一樣。因為這一次，我是抱著「定居埔里」的心態回來的。

一回到家，首先就面對熱水器故障的事。

謝緯營地的賴貫一牧師和牧師娘接到我請求幫忙的電話，他們一起到組合屋來看我。

牧師和牧師娘在生活上非常照顧我和澤銘。在信仰上、工作上，也一直都是引導我們方向的長輩。每隔一段時間去找他們聊天，都會重新看清自己的十字架在哪裡。

他們兩位就像是我和澤銘在埔里最初的家人，所以當牧師在組合屋外爬上爬下的察看，

【知道不知道】

那天的雲是否都已料到
所以腳步才輕巧
以免打擾到　我們的時光
因為注定那麼少

風吹著白雲飄
你到哪裡去了
想你的時候　抬頭微笑
知道不知道

詞／姚謙改編　曲／中國民謠　演唱／劉若英

只能一直唱著這首歌

銘：

是不是過於傷痛、過於想念，所以能說出口的反而很淡很輕？

星期六，我站在海拔三千兩百七十五公尺的武嶺岩石上。

看著山、看著雲、看著天空。

我好想你。

想著還有多遠的距離才能到你那裡去……

但是我只能一直一直唱著這首歌。

被山風吹得冰冷的臉上，淚水，安安靜靜成串的流。

跨越彩虹　飛到雲的那一頭　彷彿看見你微笑揮著手　說愛我直到永久

我最親愛的　當我放開你的手　請不要為我多作停留　我為了你會好好過

（請不要為我多作停留　我們會在天堂碰頭　你在天堂的路口等我）

詞曲・演唱／趙倩筠

我想謝謝倩筠，她寫出了我對澤銘想說的心情，以及我心底最深的期待：「我們會在天堂碰頭　你在天堂的路口等我。」

在愛中盼望，是我能繼續勇敢的理由。

雖然……第一次在電腦前聽到這一句時，我哭到久久無法自已。

只能一直唱著這首歌

銘：

是不是過於傷痛、過於想念，所以能說出口的反而很淡很輕？

星期六，我站在海拔三千兩百七十五公尺的武嶺岩石上。

看著山、看著雲、看著天空。

我好想你。

想著還有多遠的距離才能到你那裡去……

但是我只能一直一直唱著這首歌。

被山風吹得冰冷的臉上，淚水，安安靜靜成串的流。

跨越彩虹　飛到雲的那一頭　彷彿看見你微笑揮著手　說愛我直到永久

我最親愛的　當我放開你的手　請不要為我多作停留　我為了你會好好過

（請不要為我多作停留　我們會在天堂碰頭　你在天堂的路口等我）

詞曲・演唱／趙倩筠

我想謝謝倩筠，她寫出了我對澤銘想說的心情，以及我心底最深的期待：「我們會在天堂碰頭　你在天堂的路口等我。」

在愛中盼望，是我能繼續勇敢的理由。

雖然……第一次在電腦前聽到這一句時，我哭到久久無法自已。

牧師娘和我在浴室裡等待牧師的測試指令時，明明只是幾句「可以嗎？」「有熱水嗎？」的簡短對話，卻也讓我必須很費力才能忍住想哭的情緒。

因為他們的出現，會讓我「訓練自己一個人住在埔里」的意志力感到有了依靠而覺得軟弱。

在澤銘的追思禮拜後，我回北投姑姑家住了一個星期，每天都有家人和朋友的陪伴。

但我只給自己一個星期的時間，因為我知道我終究要回到埔里，那是我和澤銘的家。

然而，即使是自己決定要回埔里，這個選擇的後座力並不會因此而減少。

因為整個房子都是我們共同生活的回憶，這些回憶，都是有畫面，也有聲音的，即使回憶中的兩人是安靜的忙著自己的事，我彷彿也能聽到當時空氣流動的聲音、呼吸到當時樟樹林的芳香。

以前澤銘下班回到埔里，我總會在他進門，連背包都還來不及擱下時就緊緊的抱住他，而他也會帶著微笑，把我環在他的懷裡，甚至過了半晌還不願鬆手。

有時，他會喃喃自語：「為什麼只是這樣抱著妳，我就覺得好幸福？」

偶爾，我生氣坐在書桌前不理他，他就會站在我身後，揉揉我的肩膀，舒緩我因憤怒而緊繃的身體。如果我仍無動於衷，他就會嘆口氣，拍拍我的頭，然後轉身回房間。等到我氣消了，靜靜坐回他身邊時，他就會抱著我說：「謝謝妳不氣我了。」好像不管是誰的錯，對他來說，重要的不是事件本身，而是我的情緒；只要我不生氣了，他就開心了。

房間裡的和室桌，是澤銘最常待的地方。他都是或蹲或坐的在和室桌前打電腦，然後「聽」著電視的職棒轉播。

有時我們也會用這台電腦一起看連續劇。在組合屋裡，我們一起看過「名揚四海」、「白色巨塔」、「45度天空下」和「危險心靈」。（「危險心靈」時，澤銘的身體狀況已經不太能下山回埔里了，大部分是我上山陪他。）

除了這幾部戲劇之外，其實我們兩人看的節目型態不太一樣，但他喜歡和我一起看電視。他說，很多原本他會轉台的節目，卻因為和我一起看，就覺得好好看（就像我因著澤銘開始喜歡看職棒一樣）。

有時我坐在客廳的書桌前，會突然轉頭看著房間裡的澤銘，撒嬌的喚他一聲「銘……」。他通常會緊盯電腦螢幕、頭都不回的應著我：「嗯？」我說：「我好愛你喔！」他就會如夢初醒般，轉頭給我一個幸福的笑臉。

此刻，我關上房門，澤銘的牛仔褲還掛在門後。那一瞬間，我幾乎以為他待會兒就會回來。

我轉開木箱上的鵝黃色燈光，這是我們睡前聊天時會留的一盞燈。

澤銘都會伸出他的右手讓我枕在他的身旁，聊著彼此一天的生活、交換對某些事的看法，有時一聊就是一兩個小時，如果我還沒忙完手邊的事，澤銘就會睡得不安穩。後來

我都會先躺在澤銘的身旁和他聊一會兒，讓他安心的睡覺，我才繼續看書。

在北投的那個禮拜，我和前年曾採訪過澤銘的燕子見面，她送給我當初採訪澤銘的錄音檔（連她都不敢相信她的錄音筆裡竟還留著這個檔案）。

燕子說，她對我和澤銘的印象很深，因為住在埔里的那晚，當她從外面走近我們的組合屋時，她透過紗窗看見我和澤銘坐在沙發上聊天，雖然聽不清楚我們的談話，卻能看見並感覺到我們的神情和語氣都是熱切的。

燕子說，她很訝異一對相戀多年的情侶，竟然還能像初戀一般渴望和對方分享彼此的話題。

這趟回埔里之前，我先到台中中醫診所做復健。一位認識我和澤銘的醫生關心地問起澤銘的狀況，我平靜的敘說他離開的事實。

旁邊一位診療中的婦人聽到我和醫生的對談，突然開口：「拖這麼久，應該早就有準

備，不會難過了啦。」

我安靜地沒說話。

雖然理智上我已經準備好了，但情感上要如何準備？

在澤銘的入殮禮拜和追思禮拜上，我常常不知道自己「現在該做什麼？」有時會有人提醒我：我是「家屬」，要站起來致謝。有時我又處在人群中，看著「家屬」哀戚的神情。我不知道自己在這些儀式中，我應該是澤銘的誰。

但澤銘對我而言不是以「家人」或「情人」來界定的，他就是澤銘。如好友Lydia所說：澤銘是我的信心，是理解，是包容。他和我有著過去十一年及未來到永恆的親情、愛情、友情，與許多深厚的感情。

這要如何準備？

澤銘走後，許多人都認為我很堅強。

我不確定自己何以能呈現「堅強」的形象，我也不確定自己是不是真的很堅強。

我只是隱約覺得：「哭」，不應該是，也不是「我」此刻想念澤銘的方式。

甚至，我會克制自己不哭，當我和別人聊著澤銘聊到想哭的時候，我就開始笑。

我改開澤銘的March，在開車時想念我們獨處的時光。

我換成澤銘的手機號碼，讓想念他的朋友，可以因此找到我。

我在房間一遍又一遍地播放著〈溫柔時光〉，讓音樂來包圍著我……

我的思念，除了澤銘，我不知道還能和誰分享。

三月三十號，當我開著March停紅燈的時候，頭一往右倚在副駕駛座的椅子上，眼淚竟然就毫無醞釀的順著臉龐滑下。也許，是因為我的身體認出來那不是澤銘的肩膀吧。

那時，車上的音響播出劉若英的〈思念〉。那是整理澤銘東西時所翻出的一捲我送他的錄音帶。

這捲錄音帶，當初是和日記一起送給澤銘作為生日禮物。日記上記錄了我對他的情感。在送給澤銘的那天晚上，我們在好友逸桓房裡徹夜長談，並決定交往。

當時他輕攏我的額頭靠在他的額頭上，澤銘閉上眼睛說：「傻丫頭，我們家環境不好，跟我交往妳會很辛苦的。妳不後悔？」

我堅定的搖搖頭：「不後悔。」

至今仍是。

【思念】

思念是我藏在心裡美麗的滋味　只願你和我分享
思念就像沈默的你　從來不說一句話
就算是分離　也應該溫柔的說再見

思念是我夜裡醒來擁抱的顏色
分不清楚天已白
思念就像沈默的你　從來不說一句話
來解釋你我必須分離的理由

節錄自〈思念〉，詞／陳昇　曲／劉若英　演唱／劉若英

※澤銘離開人世後，我第一次夢見澤銘時，他就坐在桌前打電腦。我想，他現在正在天堂幫上帝接網路線吧。

書寫悲傷

某一天午後，手機突然亮起。

媽媽傳來一封簡訊：「爸爸認為妳最近的文章太悲傷了，只適合寫日記，不適合放在部落格上。」

我想，我的悲傷對爸爸和媽媽造成了一些壓力。因為他們想修補、想幫助，卻無能為力，所以他們會希望這一切盡快結束，至少，不要看到。

可是，我必須寫。

必須。

而部落格就是我的日記。

澤銘走後，嬸嬸送了我一本Joan Didion的哀慟文學之作《奇想之年》。

我用簡訊向嬸嬸道謝：「《聖經》、音樂、文字，以及大家對我的愛，是幫我度過這段期間最好的方式。」

文字，不僅是閱讀，更包含自己的書寫。

書寫，是安靜的。安靜，是我習慣的傷痛方式。

當澤銘拔掉氧氣罩的時候，陳媽媽用台語哭喊著：「倚靠主、免煩惱、心平安。」一遍又一遍。

陳媽媽想讓澤銘沒有牽掛、安心的跟隨主耶穌。

我只是安靜。安靜的站在澤銘身邊。

三月四日中午十二點三十分，澤銘的臉面對著我。

我緩緩的告訴陳媽媽：「澤銘離開了。」

站在病床另一邊的陳媽媽說：「妳怎麼知道？」

我不知道。我從來沒有親眼目睹過死亡。

但我知道：澤銘離開了。

即使護士進來測量心跳時仍有微弱的數字，然而我清楚，那都是沒有意義的數字了。

我沒有回答陳媽媽，只是安靜的站在澤銘身邊。

當澤銘老家的新平教會牧師和長老們趕到的時候，我的耳朵開始有聲音穿過，但我無法聆聽。

他們安慰著陳媽媽，平撫她的情緒。

我安靜的收拾自己的東西，然後坐回澤銘的身邊陪伴他。

安靜的握著他的手，將頭枕在他的右手邊，讓他陪伴我。

安靜的體會他的溫度，逐漸冰冷。

安靜的掉淚，浸溼床單。

兩個小時後，我抬頭望見平安禮儀社的智晟那誠懇又同理的眼神……以及他手上的擔架。

我親吻澤銘的臉頰，在他耳邊低聲說：「澤銘，我很愛你，再見。」

然後退到一旁，安靜的看智晟將他帶走。

走出病房，照顧澤銘的護士哭著抱住我：「妳現在唯一能為澤銘做的，就是要記得吃飯。」

我微笑點頭，依舊安靜。

我接受這一切。

但是，我需要書寫。

我的情感、回憶、眼淚、想念，需要透過書寫的過程來吸納。

當我一再回想起澤銘離開時面對我的那一刻……請讓我寫。

當我想起澤銘的聲音、澤銘的擁抱、澤銘的存在……請讓我寫。

我會有我的時間，或許漫長，但你們不需要感到無力，只需要對悲傷有多一點的寬容與理解。

悲傷，有其意義。

因為這麼深的失落，這麼痛的離別，都是來自於對澤銘深切的愛。我也明白，這是上帝給予我的人生。

二〇〇七年九月十七日——澤銘，生日快樂

銘：

今天下午，我從北投坐上捷運，往淡水的方向走。

捷運一過關渡站的隧道，赭紅色的關渡大橋就矗立在眼前。

記得以前跟你提過，有這座橫跨淡水河兩岸的拱橋真好，因為每當看到這座橋時，我們就會知道：「快到家了！」

下了捷運，我搭乘指南客運上山。

淡水的細雨還是像以前一樣，總是被風吹得沒有固定方向，無論怎麼努力撐傘，紛飛的雨絲仍舊會落在臉頰、髮絲和衣服上。

我就在這樣的雨中，穿越文館前熱鬧的社團招生，經過福園，來到了你大學唸書時

的新工館。

認識你的那個學期，每次從女生宿舍經過新工館時，我都會刻意放慢腳步。冬末春初時，我偷偷找尋著你綠色外套的身影；春末夏初時，則費力的在裝扮相似的工學院學生中，找尋你常穿的淡水教會T-Shirt。

學期末一拿到下學期的選課本，我就細細的查看每個上課地點標示著代號「E」的通識課程。

文學院的我，希望能有更多與你巧遇的機會。

今天，我走進新工館，裡面依舊有著新工館特有的回音。

我站在中庭，仰頭想像著你以前在哪裡上課、在哪裡做實驗。

雖然我常常聽你們談起電機系的大小事，但我卻對你們的環境一無所知。

回想起來，我甚至很少真的在新工館與你巧遇（即使腦中已演練過許多次），而難得的幾次，卻又只敢輕輕頷首後心跳加速的離開。

後來你告訴我，當你第一次在新工館門口看到我，才發現原來見到我竟會讓你上課

想起時都忍不住微笑:)

離開新工館，我從松濤館側門走向墮落街，想去看看我們和好友逸桓一起住了三年的房子。

轉進七十四巷二十一號，我一階一階的走上五樓。

原本不確定現在的學生會不會讓我進去，但房子剛好在整修，所以整層都空無一人。

推開門，我第一眼見到的是你的腳踏車。

你曾說可惜當初搬家時沒能帶回去，沒想到，今天它還靜立在走廊上迎接我回來。

走進屋內，處處都是熟悉的角落，一點也感覺不出來我們已經離開八年了。

最先看到的，是我們常常洗菜煮火鍋、煮泡麵的洗手台；旁邊的桌子，以前放的是你和逸桓從後山提回來的山泉水，你們每個禮拜都會提著塑膠桶去山溝裡裝水，再沈沈地爬上五樓。這份工作你們從來不讓我分擔，而我卻常常健忘的把水燒開到只剩下半壺，另外一半都蒸發到空氣裡了。每當你和逸桓一個字一個字清楚的叫出

「李・玟・萱」時，我就知道我又闖禍了。

走道第一間是我的房間，走道尾端則是你和逸桓門對門的房間。當我來到你的房裡時，你用門板做的克難書桌還在。只要是你住過的房間，就會有這種特製的大書桌兼工作桌。

環顧你的房間，我幾乎可以在腦海中映出你衣櫥裡一成不變的衣服、吉他倚著牆的角度、書櫃裡每樣東西的位置、我們三人一起去買的地毯被吸塵器吸過後的氣味、冬天寒流來時你讓我裹去逸桓房裡看電視的毛毯觸感，還有你坐在書桌前時，房東送的鐵椅所發出的喀喀聲響……

銘，這一切都這麼真實，連你都是如此清晰，但此刻，我卻沒辦法觸碰到曾住在這房裡的你。

以前我好喜歡貼在你的胸膛聽你說話，透過胸腔共鳴傳達出來的聲音，有一種顫動卻安定的力量。

我也常靜靜地貼在你胸膛聽你的心跳，覺得這彷佛是一場夢：上帝怎麼會讓我遇見

你？我怎麼能被你喜歡？怎麼能這樣幸福的與你相戀？

而現在，也好像是一場夢：感覺得到你的存在，卻貼不到你的胸膛——

讓我心安、給我溫暖，也讓我委屈時可以倒在懷裡哭溼的胸膛。

走出你房間時，剛好遇見來整理房子的房東爺爺。

我告訴他，我曾經住在這裡，今天回來看看。房東爺爺說：「妳是不是很懷念這裡？」

我低著頭講不出話。

隔了許久，才帶著溢滿眼眶的淚水，以及濃濃的鼻音跟房東爺爺說：「謝謝你。」

離開墮落街時，我的身邊，多了一台你的單車。

澤銘，你想念的單車，我帶回埔里了。

這是我今年送給你的禮物。

生日快樂，我親愛的銘。

【生日快樂】

彷彿你就在我身邊
等待了一年 又一年
對你的思念
三百六十五天
我只等 這一天
勇敢地把從前
情人節快樂
變成
祝你生日快樂

I love you
說不出口的傾訴
I miss you
讓掛念 代替了 相處

瞬間是永遠　談情變祝福
可惜　甜言也帶苦

I love you
是最完美的結束
I miss you
一輩子 靠今天　接觸
瞬間是永遠　談情變祝福
可惜　都於事無補

今夜　有人陪你慶祝
不枉　我一年的孤獨
請你　原諒我　不多寫一個字
像　普通人模糊
多一字 多份痛

今夜　我不想哭
Happy birthday to you
Happy birthday to you

詞／林夕　曲／陳輝陽　演唱／劉若英

「藍屋頂」的建築師

這半個月來，我一直處於「移動」的狀態，身體在不同的城市間移動，心情也跟著飄飄蕩蕩。

「身心安頓」，成了我極度渴望的狀態；但是，我似乎又畏懼這樣的安頓真實發生。所以我跟著好友鈺芬回到了台北、跟著家人去到了台中、載著建築師M回到了埔里、跟著好友萬丹去到了桃園……

也許，我不是真的習慣「一個人」，至少，這段期間不是。

明天，「藍屋頂」的建築師M就要啟程赴大陸清華大學進行學術研究了，接下來的室內設計，他交給了他信任的L。雖然我不認識L，但我一點都不擔心他的能力，因為M會

交給他詮釋「藍屋頂」的室內空間，必定有其值得放心的理由。但是，一想到M有好一段時間不會在台灣，我就覺得很害怕。我彷彿又再次被放進陌生感中，而且這次沒有我熟悉的人來穩住我對於未知的恐懼。

嚴格來說，M是澤銘的朋友，他們一起在淡江團契追求信仰、一起騎單車、一起旅行。澤銘大四生病時，M還專程從花蓮的部隊到台中看澤銘再當天趕回花蓮，如此情深義重的朋友，我卻從來沒想過要進一步認識他。大學期間，我們見面的次數可能不超過五次，所以M始終被我歸類為「澤銘的」朋友。

二〇〇五年，澤銘開始和M談起「藍屋頂」，雖然澤銘很希望我加入他們的討論，但我卻一直逃避、抗拒，連澤銘轉述他們的對談內容，我也不太想聽。是因為心虛吧，我想。除了「想要有一間地中海風格的家」，我說不出更多具體的東西了，但又不想承認自己是個沒想法的人，所以就一直躲在澤銘身後，當一隻把頭埋在土裡的鴕鳥，以為不理別人就不會被發現我的空洞。

但是二〇〇六年開始，澤銘的身體狀況愈來愈不穩定，我不得不抬起頭來和澤銘保持並

肩的位置，甚至得站到比他更前面的位置來承接M對「藍屋頂」的挑戰與功課（心裡仍時時期盼再退回去）。

可是，自從澤銘向學校請假準備接受放射治療後，M就很少找我們討論了。他一人扛下「藍屋頂」所有決定的責任，因為他認為每個人該負責的就是做好自己分內的工作，澤銘要負責的是專心接受治療，他該負責的則是為我們思考「藍屋頂」的現在與未來。

M寫給我的一封信

建築將如同詩如同格律
沒有形式只有格律
直到我們真正的面對問題
那才能撼動人心
如果我們把對於「藍屋頂」的想像與宣誓勇敢告訴別人

我們的「藍屋頂」是與一位癌症末期病患所共同建築
我們宣告
「藍屋頂」並非對於病患的懷想
而是對於生命恆久的信任
每一天的生命都是值得歌頌值得堅持值得陪伴的

那麼癌症
只是代表著一種狀態
它並沒有帶走我們的夢想
我們的世界依然與它平和相處
即使病痛依然持續
這時候
「藍屋頂」是對於生命意義的見證

我們也告訴別人不是在製作一個安寧病房

我們打造的是一個連結到永恆的場所
生命縱使短暫（誰不是呢？）路途卻是遙遠（又是一個生命的質問）
從事「藍屋頂」工作的我們卻依然可以懷抱夢想
我們是要打造鑲嵌在每個到訪者生命中的一首詩歌

但……我們必須跳脫形式，找尋真正觸動人心的意義呀（否則就是我所說的保守）
至此之前所有文字的描述
只是一再嘗試告訴自己告訴你們，我們是用有限的金錢來打造無限的意義
那就是我們之所以願意放下手邊一切成就夢想的原因（這並不是希臘吧，我想）

二〇〇七年二月，M到中山醫院探望澤銘。我問他：「藍屋頂」真能在四月八號復活節如期落成嗎？他知道我焦慮的原因，但他只說：「不要急，工班已經盡力了。」臨走時，他在病房門口的號碼牌上塞了一張紙條給我：「只要兩個人在一起，就是家，就是永恆了。」

從M接下「藍屋頂」以後，我們的互動變多了，但他一直不像是我的朋友，反而像是我的兄長，讓我不斷被迫意識到自己的欠缺。

在他面前，我也特別小心翼翼，因為他的話太深奧了，有時我深怕無法領略他話語的意思，結果明明很簡單的一句話，也被我想得很複雜。

但是，他也常在我迷惘的時候，適時給我一些睿智的話語。

那時「藍屋頂」的粗胚快完工了，我需要做的決定也漸漸增多，可是優柔寡斷的我既拿不定主意，也缺乏更高的格局來思考事情，此時M就會告訴我：「遇見選擇時，往上思考往下做，就是智慧，也是機會了。」

過去這半年，我很少想「藍屋頂」的事情，因為我信任M對澤銘和我的了解，也信任他為我們著想所做出的決定（他幾乎每次都猜到我會做什麼選擇，但也常常成功的說服我做更勇敢的嘗試）。

可是，當我知道M要到清華一段時間，並邀請我跟著他跑鐵工、鋁門窗、瓷磚等廠商的時候，我就開始惶惶不安了。雖然是他在處理事情，但杵在旁邊的我卻有一種似曾相識

的窒息感。

去年底，澤銘也不時和我談一些「藍屋頂」工程上該考慮的事情，有一次在開回埔里的車上，我生氣地問他：「為什麼我要知道這麼多？」

澤銘冷靜地說：「因為我會離開妳。」

那一瞬間，我必須用雙倍的力氣才能呼吸到一口氣。

這一次，相同的感覺再次襲來，雖然我知道M和L會做好銜接，而且他一兩個月後就會再回來，但當我意識到澤銘和M這兩個帶著我思考「藍屋頂」的人都不在身邊時，我仍然克制不了自己的孤單與害怕。每次問M什麼時候要去大陸，他從來不正面回我一個明確的答案，我甚至覺得他是因為知道我很依賴，所以他早已決定好日期，只是刻意不讓我知道，希望不要造成我的緊張。

今天一整天，M都很忙。晚上十一點半，我從鎮上埔里要返回謝緯營地組合屋的時候，我們兩個終於通上電話，我說：「辛苦了，明天一早就要搭機你還忙到這麼晚。」

待確認了一些後續交接的事情後，我不安的問他：「還有什麼是我要知道的嗎？」（可見得我連該知道什麼都不清楚。不過他之前曾說：「無論我和L交接什麼，我們的目的都是一樣的，就是把『藍屋頂』交接給妳。」）

M不再談工程的事，他反問我：「妳怎麼知道我明天要去大陸？」

「你爸爸告訴我的。」（M的爸爸熱情的認養「藍屋頂」種花工作，今天電話中提醒我要記得澆水。）

「我本來不想讓妳知道的。」

「（沈默）……我知道……（開始不爭氣地掉眼淚）」

「因為我在大陸一樣可以處理台灣的事情。」

「……嗯……我知道……」

M聽出來我在哭。他說：「妳不要擔心，不會有問題的。」

「……」（我開始說不出話，只能一直點頭，似乎想藉著每一次點頭給自己一點肯定的力量，但結果是每一次點頭，就掉出更多眼淚。）

「祝你一路順風。」這是我勉強擠出的一句話。

掛上電話後，我緊緊的握住方向盤，因為那是我此刻唯一可以用力抓住的東西。我一路哭著禱告回營地，因為「藍屋頂」沒有澤銘和M，我真的陷入手足無措。雖然我知道混亂的是我的心理，而不是工程的進行。

進組合屋時，M傳了封簡訊：「傻孩子，我去處理一些該做的事，再回來看妳跟妳的房子。」

看完簡訊，我哭得更兇了，為什麼都說我傻呀。一個叫我傻丫頭，一個叫我傻孩子，既然知道我傻，你們為什麼要讓我變成一個人……

清晨時分，M傳給我內地的聯絡電話，還教我不同的撥打方式和計價費率。他知道我一

碰到數字和空間就會嚴重當機，所以他跟澤銘講一遍就好的事，跟我要講三遍。
不過，我會盡量不打的，我會睜大眼睛嘗試看清所有的事情，然後往上思考，往下做。
夢想的完成，應該是現在，而不是未來。

從《練習曲》到「藍屋頂」

好友鈺芬四月份生日，我買了《練習曲》的套票送她，並約好週末和她及另一位好友阿乓一起到電影院去看早場。

雖然很早之前就知道《練習曲》這部片，但我一直刻意不看電影介紹。只有一次剛好是由我喜歡的李文瑗訪問導演陳懷恩，於是我就和爸爸坐在客廳裡一起看完那段採訪，也知道這部片我非看不可。

剛認識澤銘時，偶爾會聽他提起五專時代獨自單車環島的故事。一九九六年我們還沒開始交往的八月暑假，有一次到台中逢甲大學找朋友。澤銘一聽說我到台中了，就在打工後到朋友家接我去夜遊。

吹著微涼晚風的夏夜裡，他駕駛著哥哥那台UB-2000老爺車，一路開往大坑山上的逢甲國小。

澤銘穿著一件洗到很薄很薄的黃色T恤，帶我繞著校園散步，最後兩個人隨興躺在學校的籃球場上看星星、聊著彼此相識以前的生活（卻絕口不提六月底在陽金與淡金公路夜遊後對彼此的想念）。

澤銘說，逢甲大學是台中最小的大學，逢甲國小則是台中最大的小學。環島前，他會從台中太平的家裡騎來逢甲國小，利用這段上坡路練體力與耐力。

每每聽到他說起單車環島的事，我都充滿了羨慕與崇拜，也很遺憾自己來不及參與那一段，並相約以後一定要帶我一起騎單車環島。

雖然，終未能如願。可是我們每次開車去旅行時，只要見到騎單車的人，我都會搖下車窗對騎士鬼吼鬼叫，興奮的為騎士加油。

有時坐回位置上時，會看到澤銘的酒窩笑得好深，彷彿我是為當年的他加油一般。

這次坐在電影院裡看《練習曲》，我一直想像自己在參與澤銘過去環島的那一段時光。

他們一樣沒有標準配備、一樣只有台陽春腳踏車、一樣在海邊紮營或睡在學校裡，特別是行經蘇花公路充滿砂石車的隧道時，我一樣能感受到當時的漆黑與危險。

但澤銘說，他最喜歡蘇花，爬了一段非常累的上坡後，一轉彎，卻是大天大海的開闊。那個流盡汗水之後遇見湛藍的感動，是他環島記憶裡深刻難忘的一個畫面，當然，還有他沿途認識的人與接待他的朋友。

《練習曲》的男主角阿明借宿林口海邊的瑞平國小時，即將退休的老師問他：「畢業了嗎？為什麼現在不用上課？」

阿明回答：「請假。」

老師再問：「請假？就為了環島？」

阿明說：「嗯，有些事現在不做，一輩子都不會做了。」

這句話是《練習曲》的重要精神，我已經在海報上不知道看了多少遍了。前一晚和姑姑介紹這部片時，我也跟她強調了這句話。但是坐在電影院裡聽到這句話時，我竟然還是淚流不止。

澤銘走後，很多朋友因為關心我而關心「藍屋頂」，也幫我思考未來的出路。他們知道，澤銘和我，不只想經營一間「藍屋頂」民宿，更期待透過民宿（及未來的咖啡館），對原住民家庭和非營利組織盡一些心力。

但現階段，有的建議我把一樓出租給暨大師生，先找個人陪我一起住；有的建議我住在鎮上，偶爾回去「藍屋頂」接待來訪的客人就好。

無論是什麼樣的建議，他們都貼心的叮嚀我：別有壓力，別把夢想變得太沈重。

面對大家的關心，我有著深深的感激。這麼多朋友在自己的生活與工作忙碌之餘，還掛念著我的未來，實在很窩心。

可是我不知道自己哪根筋不對，就是固執的想定居在「藍屋頂」開民宿。我大概是在賭氣吧，跟上帝賭氣、跟澤銘賭氣。

「你們讓我成了一個人，你們會保護我、看顧我吧？你們會帶領我安穩的走下去吧？」

上台北看《練習曲》的前一晚，我住在澤銘台中太平的家，並因此和陳媽媽聊到深夜。

陳媽媽說：「玟萱，我看妳還是把『藍屋頂』賣掉好了。我真的很擔心妳一個人住在那麼偏僻的地方，而且，蓋房子的費用我幫不上妳的忙。畢業後，就去尋找自己的幸福吧！」

那時，我就像一個漂流在海上迫切想尋找浮木的人，突然間又遇到一陣大浪襲來。我知道陳媽媽為我的安全著想，不希望我獨自住在「藍屋頂」，更不希望我被「藍屋頂」和澤銘綁住。

可是，聽到陳媽媽要我把「藍屋頂」賣掉時，我仍然詫異得久久無法回神。

澤銘，你的想法呢？

今年的復活節，是「藍屋頂」預定落成的日子，雖然進度落後，但那天在叔叔嬸嬸家有一場「藍屋頂」的聚會。

席間，建築師M看到大家述說著我可以如何經營「藍屋頂」時，他開口提醒：「我相信玟萱隨便找一份工作的收入都會比在『藍屋頂』好，但她為什麼要經營『藍屋頂』？意義在哪裡？『藍屋頂』如果不能找到存在的意義，那它和一般的民宿有什麼不同？」

我看著建築師M不斷地說：「如果今天陳澤銘在這裡，他會說……」「我認識的陳澤銘，他一定會……」「我熟悉的澤銘，他會思考的是……」

我坐在地板上連連深呼吸，也緊咬著嘴唇提醒自己：「不許哭。」

澤銘，你的想法呢？

看完《練習曲》，我和好友鈺芬及阿乓坐在餐廳裡聊起這些日子來面對的種種困難。阿乓說：「我認識的澤銘，他一定會說：只要玟萱開心就好！」

我心裡甜甜的微笑了起來。

澤銘，「有些事現在不做，一輩子都不會做了。」

向來都是實踐家的你若是看到這句話，也會欣然同意吧。

過去，你是幫助我飛向夢想的風。

現在，除了家人們無條件的給予我奧援，我相信也會有很多朋友願意來「藍屋頂」住兩

天、順便陪伴我。

雖然我不知道「藍屋頂」未來會長成什麼樣子，但就像牧師所說：上帝有祂的計畫，謙卑自己時，聖靈就會動工。

即將住進「藍屋頂」的我，讓上帝來帶領吧。我唯一能做的，就是讓「愛」成為它永遠的記號。

【不能和你一起】

結束還是原諒　愛永遠擱在遠方
眼神不會說話　只有淚光
你給過希望　怎麼能忘
是你填滿溫暖　讓夢想有了翅膀

教我如何控制　風的方向
讓我每一天能飛到更遠的地方

不能和你一起　擁有喜悅和悲傷
不管走多遠　步伐都沒有力量
不能和你一起　走往這世界 幸福方向
孤單的身旁少了堅強　只有簡單感傷

是你填滿溫暖　讓夢想有了翅膀
教我如何控制　風的方向
讓我每一天能飛到更遠的地方

不能和你一起　擁有喜悅和悲傷
不管走多遠　步伐都沒有力量

不能和你一起　走往這世界　幸福方向
孤單的身旁少了堅強　只有簡單感傷

詞／陳俊偉　曲／黃韻仁　演唱／孫燕姿

三十歲生日

銘：

今天是我三十歲的生日。

從你走後只夢過你兩次的我，卻在昨天夢見了你。

你把我從睡夢中搖醒，我睜開眼睛看到你傾著身子、右手撐在床沿、帶著微笑望著我。

我端詳著你濃黑的雙眉、捲長的睫毛、挺拔的鼻樑、光亮有神又充滿愛意的雙眼……

確定是你後，我甜甜的喊你一聲「澤銘」，然後伸出手抱你。

你也把我擁在懷中，說要帶我去旅行……

醒來發現只是一場夢後，我趕緊閉上雙眼，希望能再夢見你。

但，我睡不著了……

銘，你要帶我去旅行嗎？你知道我喜歡旅行，所以這是你要送我的生日禮物嗎？

其實，能夢見你，就是最好的生日禮物了。

在你離開後，我常常跟上帝禱告：不管祂要給我多少艱難的試鍊，只求祂讓我每晚夢見你，那我就會勇敢、我就不再害怕……

可是，上帝當然不會答應我這麼無謂的祈求，所以，不論我多麼想你，我卻很少夢見你。

昨天看到你的笑臉，是我最最熟悉的笑臉。

每次我想賴床時，你都是這樣微笑的看著我。

我也會慵懶的伸出手希望你抱抱，還要你陪我聊天、哄我起床。
那是平凡卻又甜蜜的早晨。

謝謝上帝，讓我在生日前夕，再一次擁有這樣的早晨。

我三十歲了。
當我出生的那一天，已經有一個五歲的大哥哥在這世界上等著我，這是上帝賜給我的美好世界。
我一歲一歲的長大，直到十八歲時在淡水認識了這位大哥哥——澤銘。
這是兩個人經過多少成長的抉擇累積而成的相遇！
去年年底的某一天，澤銘蹲在家裡的榻榻米上吹著暖氣、舒緩他的疼痛。
我不知道該怎麼幫助他，正在看《恩寵與勇氣》的我，就問澤銘願不願意聽我唸

書。澤銘答應了，於是我開始簡介這本書，並向澤銘介紹肯恩與崔雅這對夫妻各自的背景、認識的經過，還有得癌症後的相處過程。

我從第三章的最末段開始講故事。

崔雅問她的先生肯恩：「你認為怎麼樣？我為什麼會得癌症？」

肯恩說：「親愛的，我也不知道自己的想法是什麼，妳何不列一張表，把妳認為所有致癌的理由全都寫下來？」

於是崔雅趁著等蔬菜湯的時候，列出了以下的理由：

1. 過度壓抑我的情緒，尤其是憤怒和哀傷。

2. 幾年以前我曾經歷一段重大的人生轉機、壓力和低潮。一連兩個月，我幾乎每天都在哭。

3. 太過於自我批判。

4. 年輕的時候攝取了太多動物性油脂和咖啡。

5. 時常擔心我人生的真正目的，急於找到自己的天職、使命。

6. 小時候常覺得非常寂寞、無助、孤立、無法表達自己的感覺。

7. 長久以來一直傾向自給自足、自制和過度獨立。

8. 靈性修持，譬如內觀，一直都是我最根本的目標，但我沒有全力以赴。

9. 沒有早一點認識肯恩。

澤銘聽到第九點就笑了。

關掉暖氣，我們爬到客廳的床上對坐著，我繼續節錄著書裡的內容。

「你認為如何呢？你還沒有告訴我。」

肯恩看了一下這張表。「啊！親愛的，我最喜歡最後那一條。」

澤銘抬頭說：「我九點都有耶！關於第六點，的確是我從小的感覺；不過，第九點

才是關鍵！」

澤銘說，過去的他和崔雅一樣，有著陽性的價值觀：總是投射未來，依賴的是原則和判斷，必須要做點什麼、製造一些東西、達成某些目的，無法什麼也不做地只是存在。

可是認識我以後，他有了很大的改變，因為我的出現，其他八點都被翻轉了。

我將下巴頂在澤銘的膝蓋上，小小沮喪的說：「可是你還是生病啦。」

澤銘笑說：「因為太晚認識妳了，那八點已經讓我生病了。」

銘，為什麼我們不能早一點相遇呢？但即使相見恨晚，我們卻何其有幸能這樣彼此深愛著。

我們何其有幸地彼此深愛著，為什麼又要如此艱難地說再見？

但，請再等我一次，縱使距離遙遠，我也能記得這感覺，迎著風向你穿越。

當我到達天堂的路口，我要端詳著你濃黑的雙眉、捲長的睫毛、挺拔的鼻樑、光亮有神又充滿愛意的雙眼。

甜甜的喊你一聲「澤銘」，然後伸出手緊緊的擁抱你。

那是我們兩個人經過多少生命的歷練才能成就的相遇。

那是上帝賜給我的美好世界。

【城裡的月光】

每顆心上某一個地方　總有個記憶揮不散

每個深夜某一個地方　總有著最深的思量

世間萬千的變化　愛把有情的人分兩端

心若知道靈犀的方向　哪怕不能夠朝夕相伴

節錄自〈城裡的月光〉　詞曲／陳佳明　演唱／許美靜

往回走

過去這一年來，我的論文是停滯的。

雖然澤銘很體貼我，總是希望減少我的奔波、盡可能不麻煩我、增加我完整的時間；住院時，還叫我白天到醫院圖書館看書，晚上再跟陳媽媽換班。

但我卻辜負了他的好意，我只是一直閱讀，無法靜下心來梳理。

所以，連論文計畫都延宕至今。

現在，我決定閉關寫論文計畫了。

我想好好整理這十年來面對生命流逝的過程；誠實反思自己的陪伴經驗、體會「信仰」在這當中的力量。

這場病，澤銘是那麼坦然的接受，明白生命的邊際後，他在這當中自由的活著。而我的世界，是依著澤銘建構的，有著他當我的地基，有著他的扶持與對我的信心，我才能往上看見更開闊的天空。

此刻，我要鼓起勇氣往回走。

這是一段探勘與過濾的旅程，也是必須單獨前行的旅程。

當我看清我的世界，我才能找到自己的位置，重新綻放和煦、溫柔卻有力量的陽光；也才能擁有超越回憶的明日。

「藍屋頂」的風格

「藍屋頂」規劃初期，建築師M挑戰我為什麼要蓋一棟有「藍屋頂」的房子。他要我給他一個「加上『藍屋頂』」的意義。

這也是我自己頗為難，也常被好友俊傑取笑：「在山上蓋個地中海『藍屋頂』？會不會太奇怪？」

其實，我從來沒去過地中海，但卻一直憧憬著像童話一樣夢幻的地中海「藍屋頂」。彷彿在「藍屋頂」底下，什麼事情都有可能成真。

澤銘幫我說話：「玟萱很愛地中海的浪漫、自由與悠閒，而且當初民宿與咖啡館的夢想是從玟萱部落格『藍屋頂白牆上的陽光』和大家一起編織出來的，所以『藍屋頂』是一

個夢想實現的重要象徵。」

我也告訴建築師M：「我的名字叫Shine，對我而言，陽光就是要照在『藍屋頂』白牆上，才會是最燦爛的陽光。」

可是，澤銘走後，我對「藍屋頂」失去了任何建築上的想像。

連我以前期待的藍色樸實木門窗和漂亮的鍛鐵裝飾，後來在許多因素下消失了，我竟然也只是接受現實的告訴自己：「算了，沒關係。」

而當建築師M在房子未完工前就決定去大陸，更是讓我壓力倍增，我根本無法掌握狀況，也害怕與工人溝通，無論是台語或是專業術語，都是我陌生的語言。那時我常常哭，雖然覺得自己該堅強的穩住「藍屋頂」，但實際上卻幾乎撐不下去了。漸漸的，面對工人的工程落後，我也開始放牛吃草，進度相當緩慢。

後來，接手的建築師L逐漸完成主體建築的收尾，也開始室內設計的規劃以及工程的發包，速度漸漸快了起來。但奇怪的是，即便我逐漸找回面對「藍屋頂」的節奏感，但卻

依然沒有過去對「地中海」風格的想像與堅持。

建築師M在去大陸之前曾經毫不留情的對我說：「妳的大將之風不見了。」當時我腦海中突然想起了大學同學Lydia，她就是有著大將之風的人。

我跟Lydia提起這件事時告訴她：「我根本不想當什麼大將了，大將讓澤去當就好，他在天上總不能什麼事都不做吧？」Lydia聽了也笑了。

五月中，Lydia回溫哥華之前來埔里看我。她到「藍屋頂」停留了一會兒後，在開往日月潭的路上，Lydia跟我說：「妳住在『藍屋頂』一定會很幸福的，雖然我不知道為什麼，但我就是有這種感覺！」

那時，我感動得好想立刻停車抱著她大哭一場。

不過，我們兩個都不是這樣的人。我只是後來在她的部落格上告訴她：「妳在車上說了一些話，給了我很大的力量。」

Lydia對我來說是非常重要的朋友，她的成長與歷練，也一直使她有著不同的格局。沈穩又有著大將之風的Lydia，在我身陷泥淖的時候，來到埔里幫助我再次相信自己：這條路是值得繼續走下去的。

我想起建築師M曾寫過一封信：

澤銘擔心與思考的是妳——妳與這個房子的未來與出路與即將發生的貸款壓力，所以我說妳是澤銘的終極關懷。

讓他滿足的並非一棟房子，而是放心。

也因此你們用「藍屋頂」建築以達成「藍屋頂夢想」的策略，並非是「未來」，而是「現在」。being in the time!

我相信澤銘用生命作為給妳的贈禮不只考慮到給妳一棟房子。

他有更深刻的意圖，我相信妳也有。

所以這個時候，鼓勵妳應該堅強。

房子的工程與技術的問題交給我，你們去做夢吧。

雖然，M終究未能完全承接起這棟房子，L也是勉強的調整著。但若讓澤銘滿足的並非一棟房子，而是放心，那麼，我該將有限的預算投入無止盡的風格追尋與要求完美，還是將重心擺回生活在建築裡的「人」身上呢？我打算在這個空間裡過著什麼樣的生活，給予這棟建築什麼樣的內在面貌呢？

此刻，對「藍屋頂」建築風格的放手，或許也是我學習「接受現狀」的寬容。無論房子蓋成什麼樣子，這都是我能努力的極限了。

希望若干年過去、「藍屋頂」慢慢成熟後，來到「藍屋頂」的人會說：「這是一棟有著燦爛陽光的房子！」

【愛的回答】

雲躲在天空中哭了多少天

旅途究竟有多遠，誰又看得見
他可還記得　那幾年的我
……
我走過春風秋雨等愛的回答
太多的記憶在風中說話
我忘了風吹雨打再也不害怕
也曾偶爾夢見那月光中的家

節錄自〈愛的回答〉　曲／Hiroko Taniyama　改編詞／易家揚　演唱／辛曉琪

一粒麥子

我曾經以澤銘為主角寫了一篇〈吃〉。有些朋友跟我說，他們突然覺得「能吃」是一件多麼幸福的事，而且開始學著慢慢吃，好好享受食物的味道。

好友紅豆老師看完之後，也會在學生因她走進教室而把食物塞到抽屜時，體貼的說：「沒關係，沒關係，你們吃，能吃的時候就盡量吃。」

後來，澤銘因為放射治療的副作用，過世前兩個月完全不能再進食任何東西，僅靠全靜脈營養注射與鼻胃管時，我跟他說：「銘，雖然你不能吃，可是很多人因為你的故事開始享受『吃』，連紅豆老師的學生都因為你可以在課堂上吃東西了。」

澤銘聽了後開心的笑說：「沒想到我有這樣的功勞。」

澤銘走後，我在MSN上看到朋友們用暱稱來紀念他。其中一位這樣寫著：「天使走過人間，自己是否也可以是別人的天使？」

這是一個疑問句，但我卻能看見他期許的句點，感受到你離別後延續的笑靨。

（銘，你如此平凡，如果你的走能讓一個朋友成為別人生命中的天使，那麼即使你走了，也不是白白的離去。）

二〇〇七年三月十五日，仁愛國中在學校辦了一場追思會。

其實澤銘這兩年都在資源班，每堂課接觸的學生最多只有四個，大部分的在校學生是不認識他的。原本我不確定追思會對學生有什麼意義，所以跟美君老師說不要麻煩大家了，但是在與輔導主任依婉和教導主任雅萍碰面後，得知他們對追思會的定調是「生命教育」，想讓學生知道在病痛中依然可以不放棄愛、夢想與生命，我也才心安的接受。

（銘，如果你走了還能給這些學生們一些啟發，即時平常的你那麼低調，這時也一定會捨我其誰的答應吧？）

有一些朋友因著聞風而來的平面媒體對這場追思會的報導而輾轉聯絡上我。其中，有曾

經照顧過澤銘的中山醫院實習護生，他們在吃早餐的時候看到報紙而感到難過，詢問是否可來參加追思禮拜。我對他們說：「你們每一天面對的生命都有很多的故事，所以護士是很有意義的工作：照顧人健康，陪伴人走向死亡。若一個人直到生命的盡頭，都還能帶給人一點點感動，那你們的努力就值得了。（銘，上帝把我最愛的你接回去了，但你的離去卻給我機會鼓舞這些實習生在工作崗位上有更多的動力，因為每一個生命都是如此寶貴，他們也都能是別人的天使。）

醫院中有著一面之緣的社工詢問我能否讓她在學校「安寧療護與生死」的演講以及針對臨床護理人員的在職教育課程中，分享〈天使走過人間〉？

我想，在這篇文章中唯一能傳達的只有「愛」吧，但這是上帝賜給我們最好的禮物，也許上帝要我們轉送給更多人。（銘，因著上帝的祝福，我們才能彼此相愛、陪著你走到生命的盡頭，這段路好辛苦，但願我們的經歷能讓更多人感受到有神同在的恩典與盼望。）

重建工作時認識的好友Z，參加完澤銘的追思禮拜後，寫信告訴大家他決定把台北的房

子賣了遷居中部，連日子都看好了，就五月搬。

今天看了澤銘的那些照片，讓我感覺到台中、南投能給我比台北更多的動力。這幾年來把精力投入九二一災區的工作，說不上有使命感，然而還真讓我費了不少心思，也認識許多以前在學術圈、文化圈根本不可能認識的朋友，他們的活力真讓我咋舌。我自己做不到，只有佩服的份，當然也受了他們的影響，自己比以前有動能。今天會有那樣的念頭，正是我又感受了澤銘的那股勁兒。我想：要到中部汲取養分才是吧。

……

如今，許多原先在災區的朋友已四散，我終究還是在災區與他們熟識的，發源地的力量不可小覷。離開台北，生活步調可以放慢些，可能就是人還能有動力的原因吧。

Z是很有人文涵養、很有社會行動力的人。我跟Z說，好啊，我舉雙手贊成，你如果來中部了，好像可以一起努力些什麼。

Z回信給我：「正如妳所說：似乎有『可以一起搞點什麼』的感覺。」

我看著他的信笑了。

澤銘，你活著時已經夠努力了，沒想到你走後仍然讓一些朋友因你而重新調整生命的意義與重心。

「一起搞點什麼！」這真是我們的朋友會說的話啊。

「一粒麥子不落在地裡死了，仍舊是一粒；若是死了，就結出許多子粒來。」《約翰福音十二章二十四節》

銘，你是一粒落在土裡的麥子！

【送給你一對翅膀——仁愛國中的孩子們在追思禮拜中獻給澤銘的詩歌】

我看到有隻麻雀落在地，看牠的生命似已到盡頭。

我跪下將牠捧在手心中，牠輕聲對我說：朋友！
送給你這對翅膀，學習飛翔越過最高山，
送給你這對眼睛，學看世上的美事，
送給你歡欣的歌，歌頌春天來臨的喜悅，
送給你跳躍的心，翱翔在海的那邊。

我見另有隻麻雀在沙地，小麻雀生命正開始起步，
我輕輕將牠捧在手心中，我微笑對牠說：孩子！
送給你這對翅膀，學習飛翔越過最高山，
送給你這對眼睛，學看世上的美事，
送給你歡欣的歌，歌頌春天來臨的喜悅，
送給你跳躍的心，翱翔在海的那邊。

中文譯詞／不詳　曲／Don Besig

十年

銘：

外頭的雨，下得好大好大。

以前，每當雨叮叮咚咚的敲在組合屋的鐵皮上時，我們就會相視而笑：下雨了耶！雖然有時連日大雨會讓我們開始憂心農民的收成付諸流水，有時也擔心山上的路會不會坍方，學生出入是否平安。

但我們卻又私心的希望大雨可以在組合屋上空一直下不停，被雨包圍在房子裡的感覺，好像世界隔出了只有我們兩個人的空間。

此刻，雨依舊叮叮咚咚的敲在組合屋上，但世界隔出的這個空間，我卻只能閉上雙眼想你。

某個週三晚上，在日劇「一公升的眼淚」討論會中，論文指導教授敏雄老師說：「如果玟萱願意的話，我很想聽聽玟萱為什麼在澤銘生病後不僅沒有離開他，還能陪著他走了十年？」

我尷尬的笑了笑，貼心的學妹立刻遞上了一盒面紙……

你也問過我相同的問題。

但這對我來說，不是個選擇題。

很少人知道我們曾經分手過，媽媽即使感覺到了，還以為是你背部劇痛不能帶我去

看國慶煙火的緣故（雖然我真的很愛看國慶煙火，但你編的這個理由真爛）。

分手不到幾天，你因為呼吸困難被媽媽從南投山上送進了台中中山醫院，那是你第一次胸腺癌發病。

大嫂知道我們分手的原因，她在電話中問我願不願意去看看你。

這是我的最後一道選擇題。

從此之後，我再也沒想過要離開你。

進安寧病房的前兩天，你躺在客廳的床上望著我，許久之後，你終於感嘆地開口：

「玟萱，為什麼妳會這麼愛我？」

我沒辦法回答你。

這是一題申論題，是我想說的太多，卻隻字都寫不出來的申論題。

就像以前我撒嬌問你相同的問題時，你也從來沒給過我答案。

雖然我不知道自己為什麼這麼愛你，可是我坐在床邊告訴你：「銘，我不會因為你生病就不愛你，身體只是人的一部分。生病只是你此刻的狀態，你還是有那麼多美

好的地方：你的善良、你的靈魂、你聽得懂我的話、我也只願意和你分享我的生命……這些都不會因為你生病就消失，它們還是這麼完整。」

你聽了之後心疼的說：「妳真的好傻。」但你削瘦的臉頰卻有著滿足的笑容。

我輕輕的在你身邊躺下，抱著你，希望能讓你感受到我的愛。

銘，對你，我一點都不傻，就是因為清楚自己愛你，才能堅持下去。

是你，陪著我走過這十年。

【Somebody】

想找個人來分享　分享我的生命

藏在最深的夢　　埋在最深的我
永遠站我這一邊　　從不曾改變
而我同樣也會　　支持他到永遠
他會專心聽我　　當我有話要說
關於我們這世界　　和生活的種種
也許我會犯錯　　甚至有一點點迷惑
他會靜靜等候　　卻不會輕易被我的想法左右
通常他不同意我　　可是到了最後　他會了解我

想找個人來關心　　關心我的生命
每一個思緒和每一次呼吸
他點亮另一盞燈　　打開另一扇門
讓我學會去愛　　我所有的恨
我不想要變成一個盲從的人
寧願試著看清所有的事情

當我閉上眼睛　渴望得到平靜
他會擁抱我然後輕輕地吻我
像這樣的事情　也許有點噁心
像這樣的事情　看得出他的真心

詞／林暐哲　曲／M.L.Gore　演唱／楊乃文

旅行

七月的新疆之行，是去年就和好友鈺芬約好的。

澤銘走後，我沒有改變這個計畫。

有些朋友以為我是為了去散心；但我知道，旅行不是一個散心的好選擇，因為在異鄉更加想念澤銘的煎熬，我深深體會過。

那時候，每當抬頭望見夜空中閃爍而過的飛機，我都恨不得自己也在飛機上，能立刻飛回澤銘的身邊。

我只是，想將這趟行程當成一個儀式，讓自己擁有「出發」的態度。

將澤銘的愛帶在心上，重新張開自己對這個世界的知覺。

同行的夥伴安雲說，我照相時笑得好甜。

我終究沒告訴這位去新疆才認識的新朋友：當我看著鏡頭時，我的心、我的臉，是對著澤銘微笑的。

澤銘從沒出過國。

過去的旅程中，我總是將每天快樂的、辛苦的、難忘的片段與澤銘分享。

但是現在，除了向家人報平安，我幾乎不再開手機，我的心情不再寫成簡訊、不再說出口。

我只能將旅途中發生的故事、遇到的好人，透過這個微笑讓他看見。

第一次出國時，我站在巴黎鐵塔下仰頭看著高聳的鐵塔，決定讓自己在巴黎留下個遺憾。

回到淡水後，我告訴澤銘：「我想將巴黎鐵塔留著未來和你一起上去。」
澤銘感動的笑著說：「好，我們一起上去。」
然後繼續聆聽我敘述那段在歐洲旅行的日子。

這次到新疆的每個城鎮，我盡可能的玩、盡可能的看、盡可能的交談。
每個去到的地方，都當作是最後一次到訪，不讓自己有遺憾。
因為我的旅行，不會再留給未來。

在新疆的許多個夜裡，我夢見澤銘。
我相信，他已經和我一起旅行。

爬山

在新疆帕米爾高原上的喀拉庫利湖，我們巧遇了一對來自台灣的夫妻。他們從甘肅進中國，玩完新疆後，還打算翻過山進西藏。先生說：夫妻倆從四十歲開始爬山，至今爬過五十多座台灣百岳。「沒有一座山，不是兩人一起爬的。」

雖然這只是閒聊中的其中一句話，但在背景七千五百公尺的慕士塔格峰襯托下，我的心突然被震了一下……

我很喜歡山，喜歡山上空氣的清冷、喜歡山中溪水的潺潺、喜歡聽山路上不知名的鳥叫與蟲鳴。

從高中開始，我就覺得自己將來會住在山上；但直到大學，才因為澤銘及好友逸桓、世

明和猴哥而真正的接近山。

我發現，山依舊動人，但更讓我著迷的，是和好友們一起在戶外生活的感覺。每次上山，都是他們幾個大男生負責搭營、撿柴、煮飯……什麼都不會的我，就負責照相和耍寶。

在山上，一切都是那樣克難簡單，卻也最容易感到滿足；一碗紫菜蛋花麵加上幾個罐頭就是人間美味，一杯香氣四溢的即溶咖啡就堪稱極品。生起一堆火，就能讓我們盡興的聊上整晚也不嫌累。

戶外生活其實常常是狼狽的，但大家總是甘之如飴、苦中作樂。有回在宜蘭南澳遇上山區大雨，為了躲雨和取水方便，我們決定在碧侯國小廁所旁紮營煮飯，唏哩呼嚕地，大夥兒照樣吃得香噴噴。還有一次騎在桃園復興鄉的山路上被淋成落湯雞，幾個人溼答答地穿著短褲和拖鞋衝到石門水庫一魚多吃，當時覺得這一頓真是無比奢華的享受。

後來，澤銘開始帶著我走部落。

我們兩次前往屏東南隘寮溪旁的好茶村，那是他和建築師M曾經騎單車前往的魯凱族部落。

其中一次，我們和獵人二哥及淡江團契的明德學長爬上了北大武山上的舊好茶；在沒電也沒自來水的部落裡，白天跳進清澈潭水游泳，夜晚就到溪邊撈溪蝦，再回到石板屋裡佐著吉他聲烤晚餐……

澤銘說，他很高興我能跟他一起上舊好茶，兩個人都喜歡過這樣的生活，是件很棒的事。

澤銘的入殮禮拜中，我是最後一個走到他身邊的人。

賴貫一牧師突然率性的折下身旁一朵百合花遞給我，他說：「送他一朵百合吧。」

看著百合，我想到了好茶。

我接下百合輕輕的放在澤銘的肩上，讓這朵百合，與澤銘的軀體一起封在純白的靈柩裡。

建築師M後來傳了一封簡訊給我：

玟萱，我看到神透過賴牧師，藉著妳的手頒給澤銘在世最後一個勳章。獵人二哥說，百合是魯凱族勇士神聖的裝飾，代表勇敢、純潔，正如澤銘在地上的日子。這是神親自見證你們的愛情，也藉此為澤銘成就恩典，成就了天堂。

從新疆回來後，我和好友逸桓、猴哥、世明在關渡平原的西班牙餐廳聚餐。我們如往常聊工作、聊家庭、聊我去新疆的旅程。

雖然在喀拉庫利湖畔，我意識到自己不能再和澤銘一起爬山了；但這一晚，他們讓我找

回許多熟悉的感覺。

回家的路上，天空下著毛毛細雨，就像我們相識的淡水；然而我心裡卻暖暖的知道：我仍有這群帶我上山，也從一開始就陪我經歷所有事情的好友。以後，希望還能和他們一起上山。

她在這裡——給親愛的阿乓

某個颱風來臨的前夕，好友阿乓問了我好幾次：「妳週末要不要回家？」

我總是說：「不要。」

阿乓後來從提問改成慫恿：「回家嘛，有颱風耶。」

我知道她想去新竹探望男友但又不放心我，所以我告訴她：「沒關係啦，在營地組合屋裡很安全，妳安心的去新竹，我可以的。」

後來阿乓去洗澡前又問了我一次：「妳真的不回家？」

我說：「嗯。」

但是她洗完澡後，我突然改變心意了：「好，回家。」

她喜出望外：「真的嗎？」

我笑說：「這樣妳就放心了吧？」

她說：「哎唷，妳害我剛剛洗澡的時候還正義凜然的想著：好，不去新竹了，就留在埔里陪妳。」

阿乓是我以前的同事。她抵達埔里定居的那一天，是澤銘走後我第一次能心裡踏實些的開車回埔里。

因為我知道，有個人正在鎮上等著我接她一起回家，她讓我不再一個人恍恍惚惚地進入那充滿回憶的共鳴箱。

阿乓搬進組合屋之後，開始裡裡外外的大掃除。她清掉了我半年來幾乎沒動過的灰塵與雜物，也為冰箱、房子添了居住的氣息。

我們在信仰、工作、生活上都有許多分享，她還教我做菜煮飯、搭配衣服，和我一起過著相同而步調緩慢的生活：每天去圖書館、必要時去工地、每週看一部電影、偶爾帶著

晚餐上虎頭山看夕陽……

過去，澤銘一直很喜歡阿乓，總是誇她的個性、她的想法、她的藝術天分與她對事情的態度；連她選的男友，澤銘也覺得是天生一對。

澤銘曾說，等到「藍屋頂」蓋好的時候，希望阿乓會願意來和我們一起努力。

現在，阿乓真的來了，還在埔里接了兩份兼差。

阿乓開玩笑的說：「藍屋頂」還養不起她的時候，她就先賺錢來養「藍屋頂」。

於是，我們就一起慢慢地準備、思考著「藍屋頂」的未來，而我在「藍屋頂」工程上遇到的挫折與每一個痛苦又無奈的抉擇，她也最清楚。

阿乓很貼心，她明白我雖然嘴巴不說、一切如常的過日子，但心裡仍靜靜的延展著只有文字才會透露的想念。

在武嶺的那個下午，我以為自己隱藏得很好。

後來才知道，細心的她其實早已默默站在我身後，隨時準備抓住因為哭泣而步履不穩的我。

有時我會想：如果不是阿乓來埔里幫我穩住了生活，我會變成什麼樣子呢？

但感謝上帝，她在這裡。

繼續前行

從新疆回來後，我有點懊惱的對好友阿乒說：「我覺得最近的自己變得不會寫部落格了，常常誠實的寫完後又怕看的人擔心，所以寫了又改，改了又刪，到最後，文章就片片斷斷的。」

阿乒問我：「那妳為什麼要刪？」

我回答：「我擔心不常見面的朋友如果只看我的部落格，會以為我時時刻刻都陷在傷痛的情緒中走不出來；而跟我相處的家人看了部落格，大概會以為我人格分裂，明明相處時好好的，怎麼看部落格時，又像是另一個人。」

阿乒問我：「妳希望家人不要擔心妳，所以就刻意開心的與他們相處嗎？」

我搖搖頭：「不是。和家人相處時，我是真的開心，但我的人好像雙軌在進行：正常生活的同時，心裡還是常常想念澤銘，只是，我不習慣說，也不想表露在臉上，所以就用文字記錄。」

阿乓建議：「那妳就寫妳想寫的，發表之後用密碼鎖起來不讓人家看。」

我忍不住笑出來：「這和不發表有什麼不一樣？」

阿乓說：「不一樣，真的不一樣，當妳寫完按下『發表』後，其實有一種『對自己宣告』的意味，只是鎖起來不讓別人看而已。」

我點點頭：「嗯，有很多心情，當時沒寫，或是刪了之後，就再也寫不出來了，但那其實都是當下最深刻的紀錄。」

澤銘離開近半年後，我深切的感受到周遭朋友多麼希望能幫助我走出傷痛、看見自己的恩賜；閱讀著他們的信，我有著被關懷的感激與歉意。

我很希望自己不要再坐著旋轉木馬在相同的心情文字裡繞圈，但愈是努力，反而愈是進退失據。

那麼，我需要多久的時間呢？需要多久時間才能舉重若輕的想念澤銘？而我，又能擁有多少時間呢？擁有多少時間可以這樣一而再、再而三的讓大家陪著我回憶？

三月四日之後，我已經完全失去了時間感。

我的生活繼續向前走著，也仍有一些生活上的喜怒哀樂；但心中的過往卻清晰到讓我懷疑哪個畫面才是現在。

時間，就這樣斷裂又交錯的，很不真實。

我知道，澤銘是回到天父的身邊，一個比在我身邊更好的地方；我也知道，上帝讓我來到這個世界，一定有我要完成的使命，我不應該停留在原地。

但是，曾經有那樣多、那樣深的生命交會；如果你也曾失去，可不可以教教我如何不想、如何釋放？

沒有澤銘的日子，就好像掉進一個巨大的真空。

我再也不能興高采烈的說著自己對這個世界的感動、再也聽不見自己對世界認真心跳的回音。

我只能用文字敲打出一個洞，在回憶裡感受真實的存在，但即使如此，直到今天，我都無法清楚地寫出澤銘對我的意義。

這般離不開的別離。

我無法瀟灑的畫出一條分割線說：從今天開始……

我也無法欺騙自己：出發以後，就可以將過去包裹在角落。

我正在努力的是：記得我曾經那樣活過，嘗試著繼續前行。

我親愛的朋友們，請不要為我擔心，玟萱依舊會開心的笑、依舊有夢想；只是難為了站在文字出口的你們，承載了我最內心的情感與想念。

雖然我還是會軟弱的寫，但我想讓你們知道：每當我到了出口，我又往前走了一點點……

身邊的愛

銘：

入殮禮拜結束後，我隨著你去到火葬場。

家人們則在爸爸的催促下，載著好友鈺芬返回台北。

沿路上，姑姑如夢初醒般地說：「怎麼還沒和小玟說到一句話就糊裡糊塗的回台北了呢？」

到了台北，姑姑和妹妹立刻改搭高鐵再回台中陪我。

當我在太平家中接到她們即將抵達的電話時，我驚訝中感謝著上帝，而且我心裡知

道：是你！

你明瞭我在不對外的入殮與火化中，參加著不熟悉的儀式、聽著不熟悉的台語，我有一種身在局外的孤單。

從火葬場回家的路上，我坐在哥哥的車裡聽著不認識的長輩談你、談死後的人會去哪裡……其實我只想靜靜的與心裡的你共處，但在陌生的氣氛中卻不知該把情緒往哪兒擱。

我知道，你心疼我，所以在我沒說出口，卻最需要人陪伴的時候，你讓姑姑和妹妹感受到我的孤單而回來陪我度過那一晚。我也才能重新調整心情，安排著你的追思禮拜。

銘，每當我靜下心時，我就覺得你彷彿仍在為我安排著一切，如同你在我身邊時一樣。

因為失去你後，我接受到太多太多的愛，雖然沒有任何人可以取代你，但這些認識

與不認識的朋友，讓我感受到人間最純粹的愛與暖意；小到我的電腦、大到我們的「藍屋頂」、深到我的心情與生活……都因著大家的關心與幫忙，才能從混亂邊緣慢慢穩定往前。

好友阿乓從美國回來後，決定搬來埔里定居一兩年。有她的相伴，我才能開始過著規律的生活。

高中同學略哥說，等阿乓出國唸書時，埔里的高速公路也通了，那他就到台中找工作，換他每天通車陪我。

雖然我不可能讓朋友的生活因我而改變，但我仍感動於他的心意。

這兩天回高雄時，略哥帶我去西子灣看夕陽、去旗津看夜裡的大海；月亮好圓、星星好亮、海風好狂，我在潮汐聲中流著淚想你，略哥就默默的陪在我身邊等我哭完，再開車送我回家。

前幾天，好友逸桓又去大陸出差了，他如昔的發了封e-mail通知我們，並留給我大陸的手機號碼。其實，最近我很想念他，每當到北投的姑姑家時，我都很想去找住

在關渡的他。

可是他有他的生活、有忙碌的工作，若沒有一個好的理由，我不知道該怎麼一個人去找他。不過，心裡就是很想念他。

去年春假，我瞞著家人趕回埔里，將你送去埔里基督教醫院掛急診。當時逸桓恰巧打來一通電話，你強作鎮定的與他聊天，卻絕口不提你已住進醫院。等你掛上電話後，我偷偷發簡訊告訴逸桓我們的狀況，當時我其實很害怕，因為你不想讓媽媽擔心，我又不能讓家人知道你的病情。

我覺得自己好像與你相依為命，如果有什麼危急狀況，只能我一個人面對。當時逸桓適時的一通電話，讓我突然覺得還有人可以依靠。我也還記得當時坐在病床邊發的那通簡訊，是邊傳邊掉淚的。

你走了之後，逸桓仍持續發e-mail告訴我們他的行程。即使內容只是簡短的說明去東莞了、回台灣了，但知道他在哪裡，就令我感到很安心。

有他的消息，彷彿我們仍像大學時代般：互相了解對方的生活、彼此獨立卻又相繫。

澤銘，沒有逸桓，我就不會認識你。

現在沒有了你，我仍會和逸桓、猴哥、世明關心著彼此。如同一直以來他們對我們的關心。

今天，表弟欣欣寄給我一首歌〈Proud of You〉，這是他的期末flash作業。

除了歌詞，作品中還有一段話：「人，總是要學習成長，當你會飛的那一剎那，世界也圍繞著你，所以，你並不孤獨。」

聽著這首歌、看著這段話，我突然想寫下這篇文字，謝謝我們身邊的這些愛。

【Proud of You】

Love in your eyes
Sitting silent by my side
Going on holding hand
Walking through the nights

Hold me up hold me tight
Lift me up to touch the sky
Teaching me to love with heart
Helping me open my mind

我在你眼中看見愛
請你靜靜的坐在我身旁
一直握著我的手　陪我度過無數個夜晚

再將我高高舉起　讓我能觸摸到天空
教導我如何用心去愛
幫助我把心門打開

I can fly
I'm proud that I can fly
To give the best of mine
Till the end of the time

Believe me I can fly
I'm proud that I can fly
To give the best of mine
The heaven in the sky

我學會飛翔了　我以此為傲

我要獻出最好的自己　直到生命的最後一刻

相信我　我能飛翔了

當我獻出最好的自己　天堂就在天空之中

Stars in the sky

Wishing once upon a time

Give me love make me smile

Till the end of life

Hold me up hold me tight

Lift me up to touch the sky

Teaching me to love with heart

Helping me open my mind

在滿天的繁星下

我希望能再一次擁有愛與笑容

直到生命的最後一刻
請將我高高舉起　讓我能觸摸到天空
教導我如何用心去愛　也幫助我把心打開

Can´t you believe that you light up my way
No matter how that ease my path
I'll never lose my faith
Nothing can stop me
Spread my wings so wide

你可相信　你已經照亮了我的道路
無論路途如何　我絕對不會失去我的信心
沒有事情能阻止我
展翅高飛

詞／Anders　作曲編曲／陳光榮　演唱／Fiona Fung

「藍屋頂」的甦醒

「藍屋頂」，沈睡了好長一段時間。

因為有些未達預期的部分，我一直嘗試說服自己去適應、去接受現狀，但最後還是無法妥協；想解決，卻又猶豫不決，於是就陷入僵局。連接手的建築師L都忍不住說：妳已經開始在繞圈圈了。

上禮拜，烤漆的老闆主動邀我去他的工廠泡茶，熱心的提供我一些施作經驗上的建議。討論完之後他說：「看得出來，當初『藍屋頂』的建築師設計得很用心，但他去大陸後，其他人也很難收尾。因為任何一個環節的誤差，都會造成結果很大的不同，像妳的樓梯、屋頂，就是最好的例子。」

他接著說：「其實我有聽說妳的事，這個房子是妳和男朋友一起夢想的家，所以，房子

如果不如妳預期，妳一定會非常挫折。」

我點點頭，開始沒骨氣的抽面紙，心裡想著：為什麼我從沒提起，你們竟然還是知道了？

隔天，是我暑假當中第一次回教會的小組，小組長要我跟大家聊聊「藍屋頂」的近況。我突然誠實的跟眾人承認，「藍屋頂」蓋到現在，與我的預期有很大的落差，雖然我知道硬體不是最重要的，但是，我還是覺得自己虧欠了對「藍屋頂」的責任。

因為我總是逃避工程的事情，每次發現問題時，只要工人一推拖：「當初建築師的設計就是這樣……。」我就沒轍了。

每每遇到需要我做決定的大更改，我也都一直放著不動，消極的想等建築師M回來後再處理。

事情，就這樣一直拖著、拖著……

小組成員們聽了我的分享之後，特別為我及「藍屋頂」禱告，而那天的討論主題，談的也正是美國湖木教會Joel Osteen牧師「夢想成真」的講道。

（節錄）

我們都有夢想與渴望，我們相信有些事情會成真。這些應許就如同種在我們心田裡的種子，多半不會立即實現，需要等待一段時間；這時人很容易就會放棄、灰心氣餒，一不小心，最後就安於平庸。

但是要知道，神不會中止夢想，端賴我們如何面對夢想，許多人之所以會放棄夢想，或未能看見應許成真，是因為沒有替夢想的種子澆水；替種子澆水的主要方法，就是讚美神。讚美就是啟動信心，讚美能啟動神超自然的力量。

神不會中止夢想，我們自己才會，別再想負面的事，能使自己剛強的唯一方法，特別在黑暗的時刻，就是持續感謝神應允禱告。希伯來書十章二十三節：「要堅守我們所承認的指望」，也就是堅守神擺在你心中的意念，堅守你的夢想。

即使情勢看似不可能，仍學習宣告信心的話語。你或許看不見出路，但要知道神能開道路，只要你信心堅定，就能為那些應許催生，你必看見神成就那些應許。

在這天以前，以好友阿乓的形容，我的狀態是混亂到了谷底。特別是每個禮拜從奶奶家開車回埔里的路上，我常常懷疑自己為了「藍屋頂」離開我最愛的家人到底值不值得。

我要不要隨便找個工作，只要和家人住在一起過完這輩子就好？

但是，Joel Osteen「夢想成真」的許多文字，彷彿都是在對我說話。我的腦海裡不斷地盤旋著其中兩段話：要堅守我們所承認的指望，也就是堅守神擺在你心裡的意念、堅守你的夢想。

因此，我決定不再閃躲，我知道上帝已經在解決。我跟祂禱告：天父，你才是「藍屋頂」最大的工頭，雖然我不知道你的時間與方式，但我相信你已經開始在動工，你會預備一個最好、最溫暖的「藍屋頂」，因為這不僅是我和澤銘的家，也是屬於你、充滿愛與夢想的家。

神既然將夢想擺進了我的心裡，那我就安心的將計畫放在祂的手裡，在祂手中沒有難成

的事；我只要先求神的國和神的義，符合神的心意時，祂會幫我擺平我所有的需要。

沈睡已久的「藍屋頂」，此刻終於漸漸甦醒。

我的鄉鎮護照

有天看見好友Annie在部落格上提到了她於旅行途中所蓋的鄉鎮護照紀念章，我突然想起躺在我書桌抽屜許久的鄉鎮護照。

我的第一本鄉鎮護照是《天下雜誌》二〇〇一年七月發起的「信心台灣——319鄉向前行」藍色本。那時我好投入這個活動，只要出門開會必定隨身攜帶這本護照，一遇到7-11、鄉鎮公所或是旅遊景點，就興奮的去尋找紀念章。

後來澤銘化療療程結束，我們漸漸可以出遠門了，就更認真的玩起這個遊戲。

到活動結束的一年期間裡，我總共蓋了一百三十八個章，其中有些章是得來不易的。

我們曾遇過一個鄉裡兩家7-11的章都被偷走了，抱著最後一絲希望找到鄉公所時，公所

人員慎重其事的從上鎖的櫃子裡拿出鄉鎮紀念章，等我蓋完了，他又謹慎的鎖回去，讓我不得不佩服這位盡忠職守的公務人員，總算保住他們鄉鎮的最後一枚章。

另外一次，我和澤銘依著護照後面提供的景點找到一個水土保持教室，但是裡面種花的阿伯完全搞不清楚什麼是鄉鎮護照章。他還認真的問我：「那蓋我的指印可不可以？」我笑出聲，安撫阿伯我不是來做筆錄的啦。

這一本藍色護照，有好多我手寫的日期、好多澤銘規劃的路線，也讓我藉此認識了從前來不及參與的澤銘生活。

在台中后里時，澤銘得意的告訴我有棵老樹在他十歲那年改成跟他同名，我像個聽故事的小孩般歡欣地跑去廟前一看，竟真的有棵枝葉繁茂、「被澤鄉民」的「澤民樹」。不過，此「民」非彼「銘」，我被糊弄得轉頭笑瞪他一眼。

還有一回我們從雲林的台西、東勢、褒忠一路玩向虎尾，澤銘向我介紹他母校雲林工專旁的三十五元排骨便當，那是他在麵包與白麵條之外的營養大餐；我們也在虎尾糖廠的荒廢鐵軌旁，等待他曾經等待過的夕陽。

為了這本鄉鎮護照，澤銘陪著我開車體驗他曾經用單車騎過的省道與縣道，也帶著我認識許多台灣的小鄉鎮、知道「竹南」原來不是在新竹而是在苗栗、還聽著他這位在長老教會長大的小孩，告訴我傳說中美麗島人士利用台3線逃亡的故事……

二〇〇五年，《天下雜誌》再度號召「帶著微笑，再訪319鄉」的活動，雖然我認份地放棄集滿三百一十九鄉鎮的雄心壯志，但是依然在那年夏天澤銘回學校復職前，帶著黃色本護照，開往上回沒好好玩到的東部。

我們從嘉義奶奶家出發，沿著南橫到台東、花蓮，以好友阿乓在玉里的家為中心，放射狀的四處去玩，這是我從小到大第一次這麼仔細的玩花蓮。我們還從台9線的光復切過縱谷到台11線的石梯坪去賞鯨，這是我第三次鎩羽而歸，國正船長叫我下次別來了。

澤銘曾說，雖然這幾年他經歷許多辛苦的化療與開刀，身體也常常感到疲倦，但是跟我在一起的時候，他不會覺得自己是一個病人。因為我們還是可以一起開心的旅行，在配合他體力狀況的緩慢移動中，我們仍能體驗流浪的樂趣。

他喜歡看我一攤又一攤享受小吃時滿足的表情、喜歡聽我五音不全卻大聲的在車上唱歌、喜歡看我哇啦哇啦胡亂說話的模樣。

澤銘說，只要我開心，他就會很快樂。我的笑容，就是他最美的風景。（這已經是他甜言蜜語的最高級了。）

二〇〇七年八月底，我們的好友逸桓展開了他思考未來工作生涯的火車環島之旅。逸桓順時鐘出發，到了花蓮的時候，他在電話中跟我說他去了七星潭舊地重遊，那是他和澤銘、同學猴哥、世明升大四時，帶上小他們一屆的我，一起開著哥哥UB-2000老爺車去畢業旅行的其中一站。

逸桓到高雄的時候，我帶他去柴山喝咖啡看夕陽，聽他說著這趟在台東偷摘文旦的壞事兒；我們還去小港國際機場的跑道旁，看著飛機起降吃晚餐，吹吹高雄難得涼爽的晚風。

逸桓在環島的最後一天到了台中基督教榮美園去追思澤銘，並去太平的家中探望陳媽媽。

雖然我已經很長一段時間沒拿出我的鄉鎮護照了，但是謝謝逸桓，讓我和澤銘在今年的暑假結束時，也參與了一段他的環島旅行。

真實

有個朋友問我，是否看過電影《不能說的・祕密》？

他說，我應該會很有感覺，因為我和澤銘下輩子一定會成為夫妻。

我搖搖頭：「我們的信仰沒有下輩子，但是我們有永恆的天堂。」

當天夜裡，我回到台中太平的家，躺在澤銘最常睡的客廳那張床上，將自己緊緊靠在牆邊。

客廳的床是張單人床，陳媽媽總是將被單洗得乾乾淨淨的，讓澤銘有張舒服的床可以休息。

每到睡覺前，澤銘就會拍拍床舖，希望我能躺在他身邊陪陪他。

通常他會側擁著我，聊著每天的新話題，我也常將雙手圈著他的右臂膀，輕輕偎在他的

身旁。

澤銘曾笑我，無論他怎麼變化，我都能那麼自然的蜷依著他的手、枕在他的肩旁，彷彿那生來就是我的位置。

有時，他會拂開我的劉海，將臉頰靠在我的額頭上跟我說話，而我也會忍不住伸手去摸摸他的鬍渣。

每當手指傳來扎扎的感覺，我就能甜甜的知道：「他在我身邊。」

直到現在，我仍然只睡靠牆的那一半，將另一半空位留給澤銘。

在漆黑中闔上眼，感覺心意相通的真實。

隔日的颱風天裡，雨水又大又急的打在車身上。

我坐在車裡靜靜地望著透明的水紋一波一波地從車頂流下，彷彿將我隔絕在車內的音樂

和窗外的風雨之間。

這輛車，就是我此刻所有的世界……

我很喜歡看澤銘開車，感受自己對他的全然信任。

交往後的第一個大年初三晚上，澤銘開著陳媽媽的貨車來接我。上車後，他將我的手放在排檔桿上，我緊張的告訴他：「我不會開車。」

澤銘說：「沒關係。妳只要讓我握著就好，我會控制。」

於是，走走停停的高速公路上，我們的心，因為雙手交疊的溫度而感到安定。

長途行程中，有時我會躺在澤銘的腿上，擁著他的膝蓋沈沈地睡著。好幾次朦朧轉醒時，仰頭看見路燈的昏黃光線從他的手上游移到臉上，一道一道重複的明滅。

我會突然有種路無止盡的錯覺，彷彿我們可以這樣一直安靜相守下去。也因此，每次討論完換台休旅車的想法後，我總會跟澤銘說：我們還是開這台March就好了，換大車之後，我會離你好遠，就不能枕在你的腿上睡覺了……

但我也常跟澤銘在車上冷戰，尤其是要搭車回家之前，我的情緒經常莫名的起伏不定。一開始，澤銘會耐心的哄我、用手輕輕安撫我的眉頭。但久久都哄不下來時，他也會正色的跟我說：「玟萱，夠了吧？」

而我只是倔強的不說話，到目的地時，又賭氣的不想下車。

有一天，他突然想起什麼，跟我講起一個小故事：有一位長輩的小女兒，小時候每次見到澤銘時，都特別喜歡讓他抱，跟他玩，但到了要分開的時候，這位小女兒也對澤銘最兇、最愛跟他嘔氣。大人們都拿這小女兒沒辦法，只有澤銘知道為什麼。澤銘對我說：「妳就像那個小女孩一樣，捨不得分開卻又不知道如何表達，所以才會跟我鬧彆扭。」

我聽了突然笑出來，原來，我的情緒，是來自於捨不得呵。

「澤銘，為什麼你會知道連我自己都不知道的事！」

窗外的大雨沒有停歇，音樂繼續輕唱著……

現在，只剩下我一個人開著車，但我仍將所有東西放在後座，騰出身旁的座位給澤銘。

我會跟他說說話、感受他的大手握著我；偶爾停紅燈時，也會轉頭凝視澤銘的臉，他笑起來時的眼神、嘴角的弧度，清晰到即使眼睛看不見，我依然能感覺……

恍惚間，我看見自己伸出手，緩緩地觸著澤銘的鼻樑、輕撫他濃密的黑髮，再用手背碰碰他的鬍渣……

想念起澤銘的笑容，我的淚水開始不停地掉落。

但，為什麼我的心裡卻覺得很幸福呢？

澤銘，你一定知道連我都不知道的事。

我能懂的，是你讓我學會了思念，也讓我體會了真實。

真實，存在於我對你的心思意念之中。

大二那年的雙十節，當我第一次將手交給你，在秋涼微風中爬上河堤看煙火時，我就知道了這個祕密。

【朦朧】

相見　卻無從睜眼　心中漆黑一片

不知過了多少年　惦記模糊的那張臉

淚水　都當做語言　眼眶沒有阻攔

任時間　催人蒼老　卻不能改變　我的心不變

朦朦朧朧　看過你一眼　從此不曾闔眼
清清楚楚　刻在我心田　痛卻不曾多言
朦朦朧朧　再想你一遍　彷彿隔世纏綿
恍恍惚惚　擁你在胸前　如果這是永遠
朦朦朧朧　看過你一眼　從此不曾闔眼

詞／許常德　曲／施盈偉　編曲／涂惠元　演唱／齊秦

踏上最遙遠的距離

朋友燕子寫了兩封信推薦她好友林靖傑導演的電影：《最遙遠的距離》。

我和好友阿乓從埔里開車趕至台中看當天的最後一場，也是整個映期的最後一場。

這是一段遙遠而快速的路程，但我卻在電影裡，緩慢而貼近地釋放了自己。

看電影前的某天夜裡，建築師M回到台灣後來看我和「藍屋頂」。

M在重新熟悉這棟建築之後，坐在廚房裡跟我說：「妳放了太多心思在妳『不要什麼』，但妳應該去接受妳不要的、思考『妳有什麼』，讓妳現在已經有的變得更好。」

起初，我還能試著解釋我想突破困境的理由，但到了最後，我的情緒在他節節逼近的話語裡開始招架不住，於是用手圈著自己屈起的雙膝，低下頭不再說話。

M對我從來不手軟：「妳還在試著完成過去和澤銘共同夢想的家，但是妳現在應該把這

棟房子當成新的建築來看待……如果我是陳澤銘，我寧願妳忘了我。」

我終於，無法繼續，站起身走出了廚房。

好友阿兵跟出來，緊緊抱著淚流滿面的我。

電影中，錄音師小湯出發到台灣各個角落去錄下各式各樣的「福爾摩沙之音」，這是他與前女友的約定，現在卻由他一個人完成。

我曾經，眼睜睜地看著自己不再是自己，所以在他身上，我遇見了似曾相識的我，也和他一起記錄、回憶，與追尋。

當同樣出走至東台灣的精神科醫師阿才嘗試以戲劇治療與小湯角色互換時，我閉上了眼睛，遮掩住黑暗中的光影傳遞，全心聆聽他們的對話。

他們的坦白，牽引出我壓抑的撞擊，我開始無聲的落淚。

重新張開雙眼時，看著小湯坐在牆角告訴前女友、也告訴自己：「我會好好的。」

我第一次，在電影院中，哭到幾乎無法呼吸。

曾有人在部落格上問我：「那段傷心的情緒，天父是怎麼平撫妳、安慰妳、陪妳走過的？」

我試著整理回答，但其實，我並沒有走過，我仍繼續在走。

看《最遙遠的距離》時，我甚至逼視自己：完成「藍屋頂」，會不會像小湯錄製「福爾摩沙之音」一樣，是一種救贖？保護？或者逃避？

林靖傑導演從二〇〇二年開始撰寫這部電影的劇本，籌備期間困難重重，就在電影開拍前夕，和他一起構思且相知相惜的好友陳明才，卻消逝在台東都蘭灣的海洋裡。好友離開後的孤寂，幾乎擊碎了他拍攝這部片的熱情。

林靖傑說：「整部影片是因陳明才而死，也因陳明才而生。」

四年後，他在家人舉債支持與許多電影藝術工作者的相助下，完成了這部以聲音來牽動內心的電影。

這種走到痛徹邊境，卻被情感牽繫著往回走的感覺，我經歷著，也體會著。

雖然我知道大家不會怪我曾經無力的看著「藍屋頂」失控，但我心裡依然覺得好抱歉，辜負了這麼多人對它的期望。

可是，我並沒有放棄，即使打造「藍屋頂」真的是我的療傷與救贖，它也是釋放、再凝聚的過程，而不是逃避。

也許，我終究學不會切斷過去，把「藍屋頂」當成一棟新的建築來看待。

因為生命會流逝，但我不會忘記澤銘。

現在的我，是因為過去有著他。

「藍屋頂」是個延續的建築，它會有著被忽略、摔碎後、再用盡我所有力氣去重新拾起拼貼的生命痕跡，那是我每一個階段、在妥協與堅持不斷交替循環中的努力。

小湯的最後一站，來到了「最南端」。

這也是二〇〇六年二月，我和澤銘最後一次兩人旅行的地方。

「最南端」的沙，此刻在我和澤銘的合照旁，那是他在岸上等我，我一個人去盛裝的沙。

《最遙遠的距離》，也是一條得靠自己行走的路。而我，已經在路上。

「我會好好的。」

二〇〇七年十一月三十日。最需要被聽見的聲音。我找到了。

【最最遙遠的路】

這是最最遙遠的路程　來到最接近你的地方

這是最最複雜的訓練　引向曲調絕對的單純

你我需遍叩每扇遠方的門　才能找到自己的門 自己的人
這是最最遙遠的路程　來到最接近你的地方
這是最最遙遠的路程　來到以前出發的地方

這是最後一個上坡　引向田園絕對的美麗
你我需穿透每場虛幻的夢　才能走進自己的田　自己的門

這是最最遙遠的路程　來到最接近你的地方
這是最最遙遠的路程　來到以前出發的地方
這是最最遙遠的路程　來到最最思念的地方

詞／泰戈爾、胡德夫　曲／胡德夫　演唱／胡德夫

「這部電影講人的困局，與不計代價的追尋。我相信，這是一段最遙遠的路程，但終會走到每一個人內心最深處的地方，然後進一步照見自己。」——導演：林靖傑

如果你在天堂

澤銘曾在他父親離世後的清明節前夕對我說：「如果人死後去了天堂，為什麼還需要到鐔前追思？」

我嘗試回答澤銘：「如果爸爸在你心裡，你也相信他在上帝的家裡，你不一定要去；但有時候到了鐔前，那樣的空間與氛圍，可以幫助你睹物思人、更專心的懷念爸爸。」

後來，我們還是去了台中基督教榮美園看爸爸，在他鐔前禱告。

澤銘過世後的鐔位也放在榮美園，就在陳伯伯附近。

仁愛國中的學生、教會的朋友、澤銘的大學同學都曾不只一次的去探望他。

但自從追思禮拜結束後，這一年多來，我卻未再進過榮美園，甚至婉拒了其他人的邀約隨行。

對我而言，我還找不到去那裡的意義。
即使是澤銘離開的三月四日。

我不知道其他失去摯愛的人如何度過每一年屬於他們的離別日。
我有信仰、我相信上帝的存在，但走到這個像是釘痕的日子，步履依舊踉蹌。
經過一個月，我決定公開這封信，只是想讓同樣得面對這個日子的人知道：你的揪心痛楚，有人與你一同經歷著。

思念，是每一分每一秒；
思念，從未遠離。

銘：
朋友們都告訴我：因為上帝應允了我們，所以真的有天堂。
那麼，你在天堂嗎？

二月初，媽媽跟我討論三月四日要不要舉辦家庭禮拜？

我問她：「三月四日是什麼日子？」

幾乎在媽媽說出答案的同時，我就已經憶起而驚覺的阻止她：「不需要。這一天一點都不重要，我只想記得我們相遇的三月九日。」

我以為，我真的可以忘記；我以為，不想記得就能平靜地度過。

但三月三日的夜裡，我還是軟弱了。

去年的這一晚，是我們相處的最後一夜。那時，我並不知道你「真的」會離開。

中山安寧病房的護理員每隔一段時間就進來巡房，他在你的床邊輕聲教導我臨終前會有哪些特徵、如何判斷你的生命跡象。

雖然最後這九年我們一起經歷過許多病危的時候，但這是第一次有人告訴我如何正面直視生命消逝前的你。

我拿著粉紅色的單子，看著上面一點一點條列的症狀，你符合的愈來愈多。

我坐下來側倚在你的身旁，握著你的手，心裡一再地詢問著上帝：「真的是今天嗎？」

我們曾經度過了那麼多難關。每一次醫生要我和媽媽有心理準備的時候，我都單純地相信你會得到上帝的醫治。

你曾問我：「為什麼妳那麼有信心？」

我不知道，也許是不敢想像你的離去，所以只願相信。

但這一次，我不敢再倔強，如果你已經那麼辛苦，我不該自私的強留你。

我更不敢跟上帝祈求要你留下，若這是祂安排的時間，我應該要學會「順服」。

可是，我其實好害怕：如果你真的離開了……我不知道要如何過著沒有你的生活；

我甚至不知道你離開後，我要去哪裡？

以前總覺得自己有好多個家：高雄、台北、嘉義、台中、埔里，但這時我卻發現，若沒有你，我不知道自己可以回去哪裡……

今年的三月四日，我在奶奶家悠悠轉醒，下意識地看著手錶：早上七點。

一年前，再過五個多小時，我們就要分別了。

我不願真正的醒來，希望閉上眼就可以不用面對今天與一年前。

可是，八點、九點、十點……我的心裡彷佛安置了一個充滿回音的鐘，每一個小時，撞擊著我不斷想起一年前的這個時候……我們還剩下多少時間？

十一點，車子開出奶奶家的巷口，在他們面前一直強忍著的淚水終於緩緩落下。

十二點，距離你的離開，只剩下三十五分鐘了。

望著漫長的公路。我的心，痛到我幾乎握不住方向盤。

「主耶穌，怎麼會這麼痛呢？為什麼失去澤銘會這麼痛呢？」

「主耶穌，《聖經》上說祢不會給我們承受不了的重擔，但這樣的失落，究竟要怎麼承受？」

澤銘，你在天堂嗎？

我能不能就這樣痛到心臟停止跳動？能不能下一秒鐘就在天堂的門口見到你？

澤銘，我好想你……

淚水，讓我幾乎看不清前面的道路。

我知道：我不是唯一失去摯愛的人。

我也明白：死亡只是必經的過程；但我還是沒辦法不意識到思念你的痛楚。

回到家後，我寫了一封信給指導我論文，也同是基督徒的敏雄老師，並請他不需要回信，也不要擔心，「寫這封信只是想告訴你：請為我禱告。」

但老師仍然回覆了：「寫這封信只是想告訴妳：我一直都在為妳禱告。」

簡短的幾個字，卻讓我淚流不止。

兩天後，我收到大學同學的來信，他並不知道我在離別日的煎熬，但他的信卻給我很大很大的安慰。

銘，好多人都在為軟弱的我禱告，如同他們當初為病中的你所做的祈求，那樣真摯而深切。但我卻不知道如何禱告了。
我不知道上帝為什麼讓我遇見你卻又要與你分離？
我也不知道祂為什麼對我這麼有信心，認為我一定撐得下去？

這一年，真的好辛苦。
曾經在清晨時分，因為睡夢中的淚水在空氣中帶走的溫度，讓我被臉龐冰冷的淚痕凍醒。
也曾經害怕聽到某些旋律，那會讓我想起你剛離開時，一個人留在車裡孤單的我……

銘，難道上帝留我下來，就是要我以這樣的痛，去體貼更多人的痛？
痛到寂寞的步伐再也走不下去時，才更加體會禱告代求的力量？

銘，如果你在天堂，請你為我向天父祈求，讓我每一次的淚都能洗去哀傷，換來清朗與堅強。

我想要帶著你最喜歡的微笑走向你。

銘，如果你在天堂，請讓我知道：你已在天堂……

我想遇見你，我最深愛的你。

【Lullabye for a Stormy Night】暴風雨的催眠曲——這是你走後我在車上常聽的曲子。

Little child, be not afraid

Though rain pounds harshly against the glass

Like an unwanted stranger, there is no danger

I am here tonight

親愛的，別害怕
當風雨像突然來訪的陌生人重重地敲擊著玻璃窗，那並不危險
今晚我會在這裡保護妳

Little child, be not afraid
Though thunder explodes and lightning flash
Illuminates your tear-stained face
I am here tonight
親愛的，別害怕
儘管轟隆雷聲與光亮的閃電，映出妳被淚水沾溼的臉龐
但今晚我將在這裡陪妳

And someday you'll know
That nature is so
The same rain that draws you near me

Falls on rivers and land

On forests and sand

Makes the beautiful world that you'll see

In the morning

我希望妳明白，這就是自然

拉近妳我距離的這場雨也同樣落在河流與陸地、森林與沙灘

到了清晨，妳將會看見它讓這個世界更美麗

Little child, be not afraid

Though storm clouds mask your beloved moon

And its candlelight beams, still keep pleasant dreams

I am here tonight

親愛的，別害怕

儘管暴風雨遮住了妳喜愛的月光

依然會有溫暖的燭光可以帶給妳美好的夢

而且我今晚會在妳身邊陪著妳

Little child, be not afraid

Though wind makes creatures of our trees

And their branches to hands, they're not real, understand

And I am here tonight

親愛的，別害怕

儘管狂風吹亂了樹枝，使它們看起來張牙舞爪

但那並不是真的

我今晚會在這裡守護妳

And someday you'll know

That nature is so

The same rain that draws you near me

Falls on rivers and land

On forests and sand

Makes the beautiful world that you'll see

In the morning

我希望有一天妳會明白，這就是自然

拉近妳我距離的這場雨也同樣落在河流與陸地、森林與沙灘

到了清晨，妳將會看見它讓這個世界更美麗

For you know, once even I was a little child, and I was afraid

But a gentle someone always came to dry all my tears, trade sweet sleep for fears

And to give a kiss goodnight

我想讓妳知道，當我還是個孩子時我也曾害怕

但總會有個人來溫柔的擦乾我的淚痕、給我一個親吻、讓我能擁有一個甜美的夢去面對心中的恐懼

well now I am grown

And these years have shown

That rain's a part of how life goes

But it's dark and it's late

So I'll hold you and wait

'til your frightened eyes do close

現在我逐漸茁壯

而這些年我懂得了風雨也是生活的一部分，它們必然存在

但它也的確黑暗，且要花些時間才能明白其中的意義

所以我將擁著妳耐心地等待，直到妳願意閉上害怕的雙眼感受這一切

And I hope that you'll know

That nature is so

The same rain that draws you near me

Falls on rivers and land

On forests and sand

Makes the beautiful world that you'll see

In the morning

我希望妳明白，這就是自然

拉近妳我距離的這場雨也同樣落在河流、大地、森林與沙灘

到了清晨，妳將會看見它讓這個世界顯得更美麗

Everything's fine in the morning

The rain'll be gone in the morning

But I'll still be here in the morning

到了清晨，雨會停歇，一切都將安然無恙

而妳會看見我一直在這裡守護著妳

詞曲╲Vienna Teng　演唱╲史逸欣

「藍屋頂」——想念

二〇〇六年的聖誕節前夕，我曾和澤銘及朋友們彼此期許：二〇〇七年，將是我們的「夢想之年」。

如今回顧二〇〇七，上帝的確給了我一個「夢想之年」，但卻是超乎想像的艱辛：因為，祂接回了澤銘。

於是，除了「夢想」，祂還為我準備了走在夢想道路上所需要的溫暖與勇氣，讓我能在上帝的看顧呵護下走到今天，親手交出一個聖誕禮物：「藍屋頂」。

我告訴家人與朋友們，我想將民宿的名字取為：「藍屋頂——想念」民宿。

我想透過這間民宿，傳達心中的「想念」。

「想念」，是因為我很想念澤銘。

「想念」，是因為澤銘曾經對我說：「為什麼妳還在我身邊，但我卻已經開始想念妳？」

自聖誕節送出這項禮物後，家人、朋友及許多從部落格上得知消息的陌生網友們，紛紛在三月九日「藍屋頂」開幕之前來到「藍屋頂」，他們真誠的貢獻出自己的專長或送上精心準備的禮物；還有善良的建築師分文未取的幫忙補救建築設計上的缺失；鄰近的民宿業者也來分享他們的經驗，安撫我在籌備過程中的心慌；暨大研究所裡可愛的學弟妹們還利用課堂所學拍了一支「想念藍屋頂」紀錄片，在一年之初時於「藍屋頂」舉辦首映，作為送給我的賀禮。

回想這段時間的點點滴滴，儘管「藍屋頂」的建築過程讓我心力交瘁、苦不堪言，但因著這麼多友善的人們在這過程中投注了自己豐沛滿盈的心意，「藍屋頂」因此有了它最

美也最動人的地方。

此刻，「藍屋頂——想念」除了仍充滿我對澤銘的想念，我還能重複溫熱著每一次朋友來到「藍屋頂」相聚交會時所綻放出的光芒。

他們讓我重新體會到「還沒分離，心中卻已經開始想念」的牽繫；而人與人之間真心相待的那份美好，即使素昧平生，卻也在彼此的心中開始慢慢想念、發酵。

我希望，「藍屋頂」將會是一個讓大家想念的地方，所以更加珍惜相處的時光，更加珍惜的說「下次再見」。

放在口袋的愛

二〇〇八年初，小年夜前夕，我和陳媽媽換手後，便離開中山醫院搭車返回嘉義奶奶家。

從台中大慶站上車，電車一站一站地停靠，到了彰化員林站時，我突然決定跳下車，走到另一個月台，又搭回大慶了。

再進到病房時，我出發前才剛抵達台中的好友猴哥已經坐在澤銘的床邊。

澤銘虛弱但充滿歡喜的聲音問我：「妳怎麼又回來了？」

我說：「我很想猴哥啊。他專程從台北下來，怎麼能不跟他吃頓晚餐？」

澤銘笑了。

猴哥則一副「最好是因為我啦！」的表情。

當天夜裡，澤銘說他好高興我又回來了。

因為過年期間護理站人手不足，所以醫師建議他回家休養。

澤銘擔心在救護車顛簸的路途中身體會疼痛難當，但為了不讓我牽掛，所以他一直沒說出希望我留下來陪他的話。

看見我重新出現在他面前，他就覺得好安心。

澤銘，我也很高興我回來了。

往年，我都是早早就回家準備過節。

你曾說，你喜歡我們家熱鬧的氣氛，如果我們結婚了，你也要讓我除夕就能回家吃團圓飯。

謝謝你總是盡可能地給我一切我想要的，但當你需要我時，你卻藏在心裡不說。

如果我能想到什麼而為你做，你都覺得是你多得的而充滿感激。

這一次，是我們第一次小年夜當天還在一起。

雖然你被救護人員背上樓時全身冒汗，費力地吸著氧氣，但你仍握著我的手對我微笑。

當我用鼻胃管餵你喝牛奶時，你還要我趕快回家帶奶奶去採買年貨，別讓奶奶覺得你病得嚴重。

澤銘，即使是這個時候，你想的仍是我的家人，把自己放得那麼後面。

今年，我依舊早早就回嘉義準備過年了。

但我在「藍屋頂」留下兩個紅包，並請媽媽告訴我們最愛的姪女書涵及語涵：這是玟萱阿姨和天上的澤銘•ㄐㄧㄜ一起送的紅包。

我也打了一付鑰匙給媽媽，希望媽媽知道：我們的家，就是她的家，想你的時候，隨時都可以來「藍屋頂」。

澤銘，這是我能想到而為你做的。

新年快樂。

P.S.當初回去，是因為我很想你。

失去你的3月4日

【放在口袋的愛】

我愛你　愛在心裡不說　可我知道你都能懂的
我像任性小孩被寵著　再失落　也有你能依靠

是你啊　我的愛　我的朋友
一輩子和你慢慢走　是不是個幸福的奢求

你總為一切而擔心　為我忘了還有自己
恨不得啊　把我放在你口袋裡
只能屬於你

How I wish I could confess to you
You have made my world full of wonders
Like the sun bursting out from the clouds
Your laughter chase away all my doubts

Life is harsh but I was never told

Often I lost my steps and missed the boat

Ups and downs like on a seesaw

Sits this abandoned and lonely soul

You're a magic shining upon me

Shutting out the chills and warm me

In my pocket I'll keep this love

To treasure forever with me

Forever with me

詞／陳耀圻（英）、娃娃（中）　曲／張弘毅　演唱／Joanna王若琳

誠實面對自己

這學期，我擔任了論文指導教授敏雄老師的「自我探索與生涯規劃」課程助教。第一週上課時，我坐在台下聽著他問大學生們關於「生命意義」、「人生價值」、「終極關懷」的問題，突然覺得好心虛。

隔天中午，敏雄老師陪我在學校餐廳裡吃飯，同行的好友阿乓為了讓我們好好聊聊，自動退到隔壁桌。

「老師，實現夢想應該是快樂的，可是為什麼現在我待在『藍屋頂』時卻沒有這樣的感覺呢？」

「老師，這麼辛苦堅持『藍屋頂』的意義究竟是什麼？以前覺得這是我們的家，雖然我

幾乎付出所有的愛給澤銘，但能量卻源源不絕，愛好滿好滿，也想透過『藍屋頂』將這樣的幸福分享給更多人，並實踐我們心中的理想；現在沒有了澤銘，我應該會有更多的愛可以分享給其他人，可是我反而覺得好孤單，什麼都給不出了。」

「老師，我不知道自己為什麼要離開家人留在埔里？以前離開家人時雖然也會想家，但因為有澤銘，所以還是很期待回到埔里，可是現在每當想到不再有澤銘等我回家時，我不知道自己回埔里是為了誰？如果我不快樂，我怎麼能帶給『藍屋頂』的客人快樂？」

「老師，我以前也是一個人，現在不過是回到以前的狀態，可是我為什麼不再有一個人生活的能力了呢？」

我翻攪著盤子裡的飯菜，為了化解尷尬，又低頭啜飲著碗裡的湯，但淚卻一串一串掉進碗裡，坐在隔壁桌的阿乓悄悄地遞上一疊面紙。

「老師……其實我很害怕沒有天堂……如果沒有天堂，我就再也見不到澤銘了……」

和我有著同樣信仰的敏雄老師安靜地坐在我面前，耐心地聽我說著心裡的迷惘。

「玟萱，現在的情況和當初不一樣了，那時候因為有澤銘的陪伴與支持，所以妳有那樣的夢想，現在剩妳一個人，就會有不一樣的心情，但無論如何，妳不需要做給別人看。」

我點點頭，但心裡不得不承認：這麼多人在幫助著我，我不想辜負大家的期待。

「如果妳今天離開埔里回到家人身邊，妳覺得對澤銘的想念會不會少一些？」

我思索後搖搖頭：「家人聚在一起的時候可以暫時忘記，但一個人的時候還是會很想念。」

「所以，其實妳去到哪裡都一樣，對嗎？」

「如果今天讓妳選擇，妳寧願四五十年看不到澤銘，但確信以後可以和他永恆地在一起？還是這幾十年有他的陪伴但以後卻永遠地分開？其實沒有信仰的人也會有他們的擔心。」

「老師……我寧願這幾十年有澤銘……老師，我知道基督徒應該把上帝放在最重要的位置，但對我來說，澤銘比上帝還重要，他給我很大很大的力量……我很羨慕單純的基督

徒，他們能夠那樣全心地相信《聖經》，沒有懷疑；我現在卻失去了這樣的信心，雖然我仍然確信上帝的存在，我也知道上帝會有最好的帶領，但我就是害怕沒有天堂……因為我好想念澤銘，好希望能再見到他。」

我深知坐在我面前的敏雄老師會包容我的語無倫次和對信仰的懷疑，所以我毫無保留地坦白自己的紛亂。

「妳認為，若上帝真的存在，那人死了不是上天堂，他們會去哪裡？」

「我不知道，萬一他們就這樣消失了呢？」

敏雄老師沒有回答，但他告訴我：「單純相信的人固然很好，但妳現在的懷疑，等到見上帝面發現一切都是真的時，妳會比別人有更大的驚喜。」

我終於露出笑容，腦海中想像到時候若見到澤銘，他是不是會拍拍我的頭對我說：「傻丫頭。」

「妳找營地的賴牧師聊過這些問題了嗎？」

「很想，但還沒有。牧師一定會叫我離開埔里的，澤銘走後，他就不贊成我住進『藍屋

頂』。他說，澤銘不會放心的。」

「有沒有什麼人或方法可以幫妳分擔悲傷？」

我依舊搖搖頭，我知道：這仍然得靠我自己……「但是寫部落格會有幫助，因為文字是我習慣的管道，只是怕大家擔心或厭煩我為什麼過了這麼久還是走不出來，而且我也不希望大家看了部落格之後因為同情而來到『藍屋頂』，所以現在很少寫了。」

敏雄老師說：「我還是鼓勵妳忠實地寫下來，幫自己做一些整理，這些都是妳的生命歷程。」

沈默了一段時間之後，敏雄老師繼續問我：「妳的終極關懷是什麼？終極關懷是會改變的，也許和當時的已經不同，但此刻的妳有沒有妳的終極關懷？」

我喃喃地說了一堆我關注的事，但似乎沒有一樣可以到達我自己對於「終極關懷」的定義。

我沮喪地說：「老師，以前關心的事，現在看起來其實都是次要的，沒有澤銘，我對任何事都沒有了動力，因為最了解我、最支持我，而且會和我一起分享的人不在了，我不

知道該如何往前走。」

「所以妳最關心的事就是澤銘？」

「嗯。」雖然不好意思，卻一點都不懷疑。

敏雄老師說：「沒關係，這也可以。」

過了半晌，我突然想到什麼而囁嚅地問他：「老師，我的終極關懷可以很抽象嗎？」

敏雄老師說：「當然。」

「我覺得我的終極關懷就是『愛』與『被愛』，所有我關注的事情，都是在澤銘的愛之下發展的。」

「聽起來，其實妳還是有妳的終極關懷，只是沒有澤銘，妳走不動了？就像目的地仍清楚，但是車子沒有油了？」

「……嗯。」

最後，敏雄老師沒有幫我下結論，但有些答案的輪廓似乎在漸漸成形。

當天晚上，老師寫信告訴我：有位英國著名的神學家C.S.Lewis在失去摯愛之後，原本對

天堂的看法受到嚴重的挑戰，但也就是在這種身心煎熬的過程中，讓他更確信天堂的存在。

隔天敏雄老師回台北後在書局裡看到一本書《去過天堂90分鐘》，便又買下來送我，並在扉頁寫了一段話：「**願他人的故事可以加添妳的信心與盼望；也期待妳的故事可以成為更多人的祝福。**」

看著他的文字，我對自己的狀態釋懷許多。

雖然在「藍屋頂」開幕前夕，我其實很無助：不知道自己是在硬撐？還是在堅持夢想？但上帝派了敏雄老師來幫助我釐清自己的終極目標、思考「離開」是否真的有幫助。

現在，我仍然會哭，仍然會因為孤單而猶疑；但卻開始感受到一絲絲在「藍屋頂」生活與努力的意義。

雖然這段路好像極度漫長、雖然這段路只能一個人走，但感謝上帝，讓我在此時此刻能有這位亦師亦友的同伴，如此盡力地幫助我走得穩一點、願意包容我對信仰的疑問；在我遇到岔路時，耐心教導我如何誠實地面對自己。

也因為這樣，即使我再怎麼沮喪，我仍然知道上帝有祂的安排、確信祂必會帶領；只是我要更有勇氣、花更長的時間來等待。

【Journey】

It′s a long long journey
Till I know where I′m supposed to be
It′s a long long journey
And I don′t know if I can believe
When shadows fall and block my eyes
I am lost and know that I must hide
It′s a long long journey
Till I find my way home to you
這是一條漫長的旅程，直到我明白何處是我的歸屬

當陰影遮掩蔽了視線，使我感到迷失而不得不躲藏，
我不知道是否該繼續走下去
這是一條漫長的旅程，直到我找到回天堂的路

Many days I've spent
Drifting on through empty shores
Wondering what's my purpose
Wondering how to make me strong
I know I will falter I know I will cry
I know you'll be standing by my side
It's a long long journey
And I need to be close to you

我在許多的日子裡漂漂蕩蕩
懷疑著自己的人生目標、懷疑著該如何堅強

我知道我會脆弱、我會哭泣
但我也知道祢將會陪在我身旁
這是一條漫長的旅程，我需要更加與祢親近

Sometimes it feels no one understands
I don´t even know why I do the things I do
When pride builds me up till I can´t see my soul
Will you break down these walls and pull me through?

有時我覺得沒有人能了解
我甚至不知道自己在做什麼
當我看不見自己的靈魂時
能否拉起我穿越這高牆？

Cause It´s a long long journey
Till I feel that I am worth the price

You paid for me on calvary

Beneath those stormy skies

When Satan mocks and friends turn to foes

It feels like everything is out to make me lose control

Cause It′s a long long journey

Till I find my way home to you

to you

這是一條漫長的旅程，直到我認為自己值得祢為我這麼做

為我在十字架上受死、為我遮擋狂風暴雨

當撒旦嘲笑我、當朋友與我為敵，感覺就像是所有事情都失去控制

我卻知道這條漫長旅程的終站，是祢為我預備的溫暖天堂

詞曲・演唱╲Corrinne May

靈魂的距離

銘：

在愛中迷惘的好友問我：一個人可否妥協的與自己不愛的人相處一輩子？

我的回答是：從靈魂到身體的距離很近，但從身體到靈魂的距離卻非常遙遠，因為身體可以和一個人生活、心可以被一個人感動，但是唯有靈魂，只認得那個理解自己的人，就只有他，沒有別人了。

好友的眼眶開始泛紅：「而妳卻同時擁有了全部。」

但，那已是曾經。

曾經，可以一睜開眼就看見你對我微笑；
可以將額頭貼在你的下巴上，不准你刮掉我最愛的鬍渣；
可以在你洗碗時從背後抱著你，感受平凡生活的幸福；
可以躺在你的臂彎裡聽你說話聽到睏極，卻還是想聽你的聲音；
可以踩在你的腳背上、攀著你的肩，讓你帶著我在房子裡跳舞；
可以躲在你的大衣裡取暖並貼著你的藍色毛衣、安心於你的氣息；
可以拿著電話不出聲，你也能感覺到我的哭泣。

曾經，那麼渴求我們能夠永不分離……

如今，我無法再擁抱你的形體，
但我仍盼擁有你的心與靈、感覺你的情感在穿透著、流動著，
因為我的靈魂早已鐫刻上你的「銘」。

至此方才明白，十八歲那年初見顫動的感覺，不是來自於我們相見，而是我們認出

了彼此的靈魂。

曾有人在我們相識之初，懷疑我們在信仰與生活歷練上的差距，會讓我跟不上你思考的速度與腳步。

你卻說：「這個小女生會超越我，她會成長到比我更成熟的境界。」

銘，你怎能如此篤定？

是因為你認出了我們心靈的相屬，於是以無比的包容來等待、給予、灌溉與呵護成形嗎？

你沒有懷疑、沒有猶豫，讓我還不成熟的靈魂，就這樣在你的愛與信任裡，安安心心、結結實實的成長著。

我曾對你說，我很喜歡《因為你愛過我》（Up close and personal）這部電影。

勞勃瑞福在蜜雪兒菲佛還很青澀的時候就注意到她。他深刻的了解蜜雪兒菲佛的特質，當她稚嫩時，他帶領她飛翔；當她失去信心時，他幫她找回夢想；當她迷失在

與別人的比較時，他可以讓她看見自己內在的光芒。

在一次充滿危險的監獄採訪中，勞勃瑞福在監獄外的轉播車上支援她、等著她，那時，蜜雪兒菲佛其實已經不需要勞勃瑞福的教導與帶領而能獨當一面了，但在歷劫歸來的那一段短短的路途裡，她放下麥克風、摘下採訪證，在混亂的人群中專心一意的走向勞勃瑞福，然後緊緊的抱住他，再也說不出一句話。

那一幕，我完完全全的懂得。

不管她多麼成熟了，她只要他在身邊；也只有他，能安撫她的心、給她堅定的力量。

銘，我只認得你。

你走後，某部分的我開始無法言語了。

因為從認識你的第一天，我們彷彿早已相識。

而過去這些年的默契，甚至不需要多說，你就能理解我最深邃的思維與最微妙的體會。

即使你不明白，你還是那麼專注的聆聽，而我也那麼渴望與你分享。

我們像是一個生命的結合體，共同分擔生命中的一切，一起經歷生命中的風景。

當我們其中一人無法言語時，另一人能從心裡理解。

當我們任何一人在黑暗中看不見道路時，另一人就會牽著對方的手，尋找上帝在遠方的光。

但你離去後，我靈魂的言語不再有方向，甚至不再渴望對誰說。

我只能寫，即使想寫的也寫不明白，但我就只能寫了。

邱妙津在《蒙馬特遺書》中有段文字：「人世間什麼樣的愛情關連都不夠可怕，生活、身體或其他鍵結方式的長久關連都不夠可怕，唯有這種『發源性』的靈魂歸屬（甚至是孕育）的關連，才是最可怕，最磨滅不掉的，那種『關連』是會一直活著

的。」

澤銘，我無法向別人解釋我為什麼這麼愛你，我也無法解釋自己的淚為什麼彷彿永遠都流不盡。

但因為這樣的關連、這樣的歸屬，所以儘管見不到你，我還是能用我的靈魂去愛你……

寫於二〇〇八年七月十日，我的三十一歲生日

【心動】

有多久沒見你　以為你在哪裡
原來就住在我心底　陪伴著我的呼吸
有多遠的距離　以為聞不到你氣息

誰知道你背影這麼長　回頭就看到你
過去讓它過去　來不及　從頭喜歡你
白雲纏繞著藍天
如果不能夠永遠在一起
也至少給我們懷念的勇氣　擁抱的權利
好讓你明白　我心動的痕跡

總是想再見你　還試著打探你消息
原來你就住在我的身體
守護我的回憶

詞／林夕　曲／黃韻玲　演唱／林曉培

認識澤銘

陳澤銘，一九七二年九月十七日——二〇〇七年三月四日。
才華洋溢、善良而敦厚的男子。

一九七二年出生的澤銘，小時候因為父母忙於經營家中工廠，所以養成了他獨立自主的個性。後來工廠不幸被倒債，家庭經濟突然陷入負債上千萬的困境，但在物質供給貧乏的生活中，澤銘卻總是能用光明正向的態度面對所有事情。

澤銘國中時就讀台中雙十國中後段班，後來憑著毅力重考上台中一中，卻因擔心補習費會造成家裡負擔，且從小就喜歡動手拆修機械，所以十六歲的他，決定離家就讀雲林工專動力機械科。在求學過程中，澤銘並沒有被寒傖的物質條件束縛，他曾經獨自一人單

車環島，用簡（儉）約的旅行方式去體驗台灣的土地與人文，思考信仰給予他的使命與感動。

五專畢業後的服役期間，澤銘決定繼續深造，當時是一九九五年兩岸緊張的時期。在全軍禁假的情況下，軍中長官因肯定他的資質與才華，特別准假讓他報考大學插班考試。他也順利考取多所大學，最後選擇淡江大學電機系就讀。

從機械轉換跑道至電機領域，澤銘唸得非常吃力，但卻在大學好友們的協助下，讓他從門外漢到名列前茅。

大學這段期間，澤銘在課業與經濟的沈重壓力下，依然努力地活出生命的色彩，他曾說：「沒有金錢奉獻給上帝，就用時間奉獻給上帝。」因此，他創作詞曲沈澱生活上的想法、參加查經班深思自己的信仰、擔任台北士東長老教會的青少年團契輔導、假日至台北八里擔任都市原住民小朋友的課輔老師、寒暑假和同學以克難卻深刻的方式旅行、認識玟萱之後，一起在愛中學習……

而大四的一場重病（胸腺癌的前兆：腦水腫），卻幾乎奪走他的生命。

澤銘被送進台中榮總時已意識不清，他嚴重到認不得家人與玟萱。三天後，主治醫師通知家屬準備後事。但或許上帝仍要澤銘繼續留在世上工作，所以澤銘在醫療團隊的不可置信中痊癒，並因此有機會返回淡江修讀教育學程，後來還自願到蘭嶼擔任暑期輔導教師，認識人生中另一群好友。

一九九九年，玟萱到埔里協助原住民進行重建工作，澤銘亦每逢假日便到埔里的謝緯紀念營地（當時原住民部落重建工作的重要據點）協助資訊設備建置；二〇〇〇年淡江大學畢業後更決定辭掉大四開始任職的精英電腦，報考全台灣海拔最高的南投仁愛國中，投入原住民偏遠地區的教育，並因協助重建工作而認識洪朝貴老師，讓他開始接觸「資訊界的社會運動——自由軟體」。

澤銘曾說，對於經濟劣勢、資源缺乏的原住民而言，除非非法使用，否則他們根本負擔不起價格昂貴的軟體，而自由軟體（自由使用、下載、修改、傳遞）是原住民的一個機會。

二〇〇一年，澤銘的胸腺癌開始發作，經過數次的化療，澤銘的紅血球指數掉到1.9（正

常值13），在重度昏迷的情況下，台中中山醫院宣布放棄。陳媽媽決定將澤銘轉送彰化基督教醫院，三天後，澤銘脫離險境。那天，是二〇〇二年的復活節。

二〇〇二年七月澤銘到仁愛國中復職，同時義務負責台灣原住民族學院促進會的資訊工作，與賴貫一牧師、我及所有原促會的夥伴一起合作。

二〇〇三年，澤銘在自由軟體上的努力獲得肯定，先後獲邀至中研院及輔大分享「奇萊山上的自由軟體教學經驗」與「出草——改變你腦袋裡面的思想」，提供偏遠地區推動自由軟體的經驗，之後也協助原促會建置原住民終身學習網，有系統的整理原住民人才、教材、課程，並以自由軟體對部落工作者進行教學。

澤銘最感榮幸的，是受邀進入「南投縣網路教育中心資訊教育推動委員會」的技術小組，和一群志同道合的夥伴們一起推動「資訊分享、知識共享」的自由軟體，即使為了資訊工作必須要在仁愛鄉的各個部落裡來回奔波，他也樂在其中。

二〇〇四年，澤銘的胸腺瘤復發，二〇〇五年一月開刀後，有長達半年的時間無法說話。第一次能發出聲音，是在台北民權長老教會唱詩歌時，當時他很驚訝自己能唱出聲音，他相信是上帝的醫治。

復職後，陸陸續續有學校對澤銘展開挖角，可是澤銘還是想留在原住民學校。他對原住民孩子的關心，對偏遠地區的使命，不僅讓他不想離開山上，還和玟萱及一群支持他們的親人、朋友，開始進行「藍屋頂」的規劃。

這是澤銘和玟萱充滿愛的家，也是獻給上帝的家，因為他們要在這個土地上以信仰實踐夢想，成就上帝美好的旨意。

但二〇〇六年七月，澤銘的胸腺瘤再度復發，即使身體疲憊不適，但只要有自由軟體的教學工作，他仍歡欣以赴。

澤銘曾跟母親說，因為接觸了自由軟體，他覺得上帝多給他的這段時間，他沒有白活，而和玟萱共同的夢想「藍屋頂」，也將成為堅定而溫柔的自由基地。

二〇〇七年三月四日，澤銘在全家人的陪伴下，自己拔掉氧氣罩，安息在上帝的懷抱。在澤銘短暫卻豐富的三十五年中，他熱愛生命，也努力奉獻自己的生命。

回顧一生，澤銘在上帝的帶領下充滿了恩寵與勇氣，在見主面的那一刻，他將會笑得如陽光般燦爛。

玟萱和澤銘的信件・澤銘寫給玟萱的詞曲創作

十年來最快樂的
時光

都是與妳一起渡過

祝我的小太陽、小月亮

生日快樂

永遠快樂

澤銘

玟萱細心的將這份手稿送去護貝，因為這是澤銘最後一次寫給玟萱的文字。

澤銘：

我们的相處会不会改善我並不確定．但是我決定在我们相処的每個時刻．我都要好好的把握．用心的對待我们的感情．用心的愛妳．雖然難免会遇上生氣不愉快的時候．但既然感情仍在．我們就不要為未知的未來担憂好嗎．

我真的很期待能与妳共同生活．每天下班回家若能看見妳．一定很幸福．請妳要努力．積極的讓自己擁有健康的身体．然後每天每天的陪我．給我一個家好嗎？

祝　生日快樂
　　早日康復

♡妳的萱 2001 0917

玟萱2001年寫給澤銘的生日卡片，卡片的最後一段是「每天每天的陪我，給我一個家好嗎？」如今讀來，仍令人心痛。

這次回家看到小baby

好想一直抱著她

這是天性嗎？

就像是看到妳，就想

抱抱你、親親你

也許這也是我的天性

期待能跟你的未來

看得到幸福

♡妳的銘

這是澤銘的大姪女出生後，澤銘寫給玟萱的手稿。
有著澤銘對未來兩人生活的甜蜜期許。

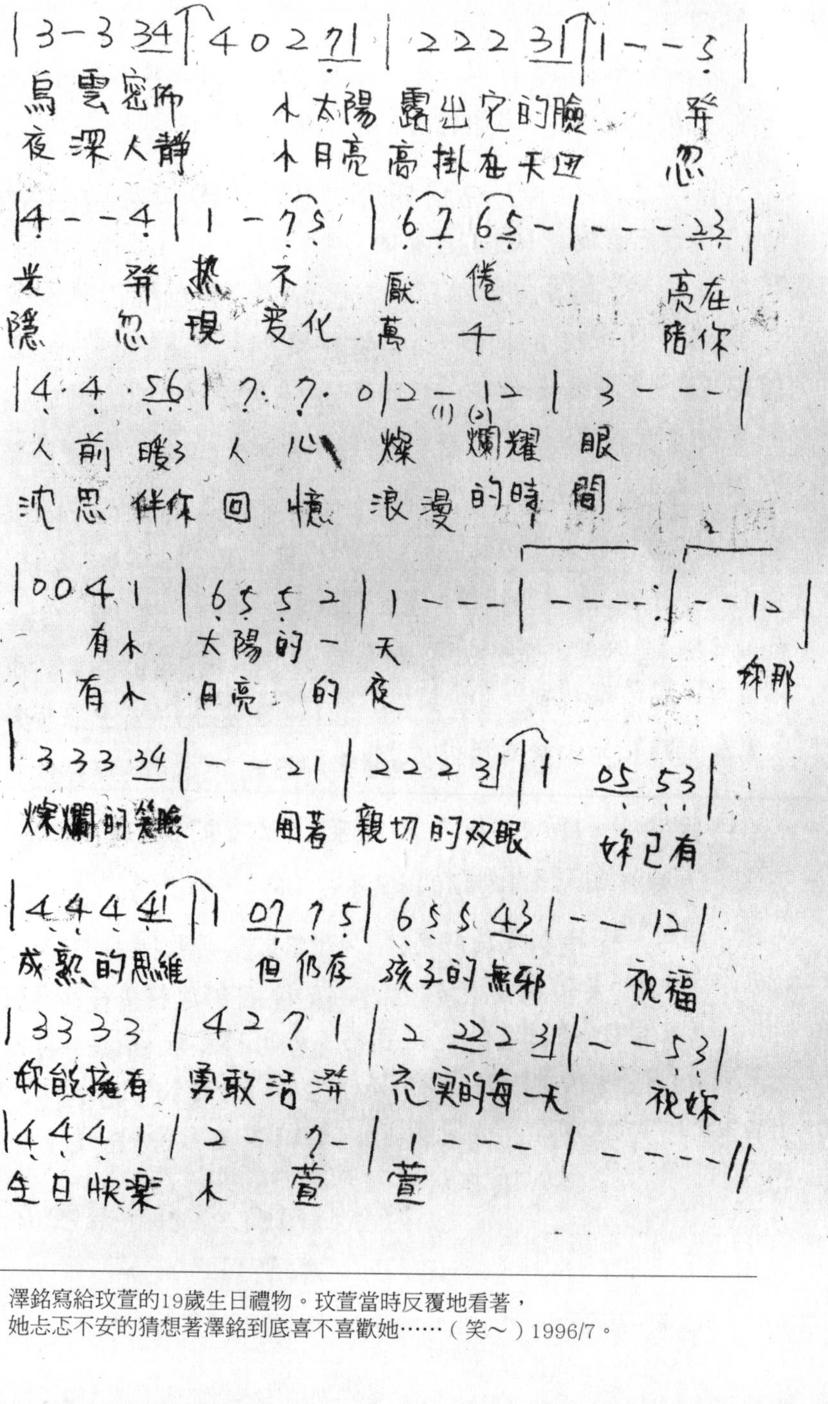

|3 - 3 34|4 0 2 71|2 2 2 31|1 - - 5|

烏雲密佈 太陽露出它的臉 散
夜深人靜 月亮高掛在天邊 忽

|4 - - 4|1 - 75|67 65 -|- - - 23|

光 散 熱 不 厭 倦 亮在
隱 忽 現 變化 萬 千 陪你

|4· 4· 56|7· 7· 012|12|3 - - -|

人 前 暖了 人 心 燦 爛耀 眼
沈思 伴你 回 憶 浪漫 的時 間

|0 0 4 1|6 5 5 2|1 - - -|- - - -:|- - 12|

有 太陽的一 天
有 月亮 的 夜 祢那

|3 3 3 34|- - 21|2 2 2 31|1 05 53|

燦爛的笑臉 圍著 親切的双眼 妳已有

|4 4 4 41|1 07 75|6 5 5 43|- - 12|

成熟的思維 但仍存 孩子的無邪 祝福

|3 3 3 3|4 2 7 1|2 222 31|- - 53|

妳能擁有 勇敢活潑 充實的每一天 祝妳

|4 4 4 1|2 - 7 -|1 - - -|- - - -||

生日快樂 萱 萱

澤銘寫給玟萱的19歲生日禮物。玟萱當時反覆地看著，
她忐忑不安的猜想著澤銘到底喜不喜歡她……（笑～）1996/7。

玟萱，平安！

頭好痛，身体很不舒服，但心裡很高興，因為剛才看到妳，在淡水教会看到妳……很難描述看到妳那時心中的喜悅。

信仰是我在大學的時期想學習的功課，曾有人（雲技那個朋友）說我是個離經叛道的基督徒，而至今我也仍未受洗，但回想过去，不可否認，信仰已是生命中重要的一部份。偶尔妳会問我一些宗教的问題，這些問題是可討論，可爭辯的，而不是讓别人給妳標準答案……讓我想起在台南讀神学院的朋友，我們会為這些问題做長時間的討論，基督徒是自由的，開放的，特别是在長老教会。同居、試婚、同性戀、統独……不同牧師不同的人会有不同的看法，甚至在教会中爭論，别認為基督徒是八股、死板的，雛妓、勞工、原住民、政治犯、青少年……等问題，据我所知都是被教会团体發掘的，解嚴前，教会公報曾因討論政治而被查禁，舞禁解除前，有些教会已用教会音樂來辦舞會。基督徒是寬廣自由的，只是我没有活出基督徒的特質（也想聽聽妳的信仰）

說太多了，好像又失控了，就像那天在學長的店一樣*，認識我多嘴的一面，不知是妳的幸或不幸，下回会多加控制。

寫到*時接到雲技的电話，一學期过了，没見过面，只聊两次电話，不知道是不是相同信仰的関係，讓我們能維持這樣的情誼。

九月中旬，淡江長青会到南部看幾個教会獻詩，想去看看他們也順道去找讀神学院的朋友。9/14 会在台南太平境教会（台灣最早的教会130年）想盡量安排那天南下，不知道惠楨会不会同行，也歡迎妳一起來。

祝

以馬內利（神与妳同在的意思）

澤銘 5/16 午

謝謝妳給我的一些信件，因妳的文筆，讓我怯於用文字與妳溝通，國文一直是我的軟弱之處，特別是表現在各种考試之中。

知道妳寫下的，都是情緒與思想的沈澱，有些受寵若驚，妳應該留給自己，作為生活的記錄。
錢會愈用愈少，而情緒卻能愈分享愈多，謝謝妳的分享，我會珍藏這些信件。

不太認識玟萱，就如同妳不太認識澤銘，幸運的，李文瑗的午夜琴聲是我們的交集，但別把午夜琴聲中的任何話與我有所联想，我是個粗人，只能用學習的心態聆聽，或說只是個習慣，也曾因節目留下一些文字，但只是將心緒直接且口語化的記錄，直接是不是妳所說的具体？但我相信直接的心緒常是真實的。

留下的這些聲音，不是精典，卻是珍藏，它不是天籟之音，卻是我青春歲月的痕跡，有机会再彼此分享。

劃上個逗點，留待下回再敘，

澤銘
4/11

剛結束逸桓的慶生

這是去年寫的，隨興動筆寫下的，寫給淡江的同學（又是台語）。

想到這首歌，想到可與妳分享。在台灣的教育下看得懂讀的實在不多，妳是我在淡江少（數）能分享音符的朋友，可惜不太懂台語唉！

而妳似乎已有好多已經開始但未完成的話題
在妳給我的信中也有許多我未回答的問題
而一個個又都像個未打開的大話匣子
"會有机会的" 我總是這麼想

晚了…

6/4 凌晨2:30.

玟萱：

收到妳的第十封信，

对文字的笨拙，加上忙碌的生活，要給妳相对的回应似乎是困難的，正在準備出國，也許在國外的日子我会較有時間动筆。

寒假回台北時，我对台中的朋友說「台北好冷，天冷，人也冷」但這学期我覺得台北是溫暖的，只要自己不是冰冷的，感謝身边的所有朋友，包括妳。

從國小一年級開始，我的文科就是虛弱的，一直到考插大依然是接近低能，增添人文氣息是我進大学的目標之一，因我知道自己是個粗人，真的！

人粗俗的一面總会被包裝或隱藏，文化也是如此，妳在「台灣鐵道伝奇」看到的遺憾就是個例子，很驚呀妳的遺憾，因妳如此年輕就発現了這個問題，若妳繼續參與社区總体營造，繼續了解台湾文化，会繼續発現相似的问題，不贊成妳太早，太深去接觸這一類問題，希望妳能保持对人，对土地的熱情，在愛上土地，真心関懷人之後，這些问題就不是遺憾了。——好像說得太沈重了，來！深呼吸一下，再笑一個——好乖！

謝謝繼海、逸楨，因為他们我才有机会認識妳，認識妳讓我有机会反省自己与本土文化的関係，有机会參與藝文活动，我不覺得能教妳什麼，也許現在還能告訴妳一些事情，但我相信不久後妳会走在我的前面，記得拉我一把。

妳信上寫著"星期三看到你的表情，我才真正意識到自己那句話的嚴重性"您說了那句話？若妳伸手我就打妳手心，寫一些我看不懂的話和不必要的道歉。

又看了一次「迷藏」——為了了解紀寬和——還好妳不是用大余，樣做比喻，要不然我要翻看㨂石字的未央歌了。我像紀寬和？？？不懂妳的觀点

没紙了……　祝

平安

澤銘

剛掛上电話，妳的咳嗽失声是不是由我
經电話綫伝染？

很高興知道妳会想到教堂礼拜，下回若又想到（希望是常常）
可选擇國語堂，國語是妳的母語，可能会有更深的感觸。

正在K書，不多寫了，有机会再好好聊聊。

身体健康，考試順利——妳我都是

6/20 凌晨 0:50

哦，再次打擾，上回給我的信，信封上少了学長两字……不喜歡被叫学長，理由和也明一樣，以後妳知道該怎麼做了吧！

終於完成了今天學業上的進度，睡前隨便寫寫

昨天电話中妳說到，我們的交談給妳許多思想上的学習（想不到更適合的用詞），甚至和怡芳（是這樣寫嗎？）討論……我只是比妳先起跑5年，有一天会被妳追过的，太重視我說的話，会讓我以後不敢說話，每個人都可有自己的一套思想的。

叮嚀（罵）妳，要妳早点找房子，要妳注重課業……把妳嚇拯了嗎？哈哈！讓妳看到我兇惡的一面了，是煩是否出國的事吧！覺得不該花這筆錢，心緒差了些。

妳認識的，是陳澤銘，会寫歌，愛旅行……而不是最佳作詞，單車環島的人首叫陳澤銘……看不懂就算了，很高興認識妳，很高興被妳認識，期末了，最後一次寫信了吧！（這学期）有机会再留妳暑假的住址，若出國再寄明信片給妳

平安

澤銘

6/21 4:00 Am

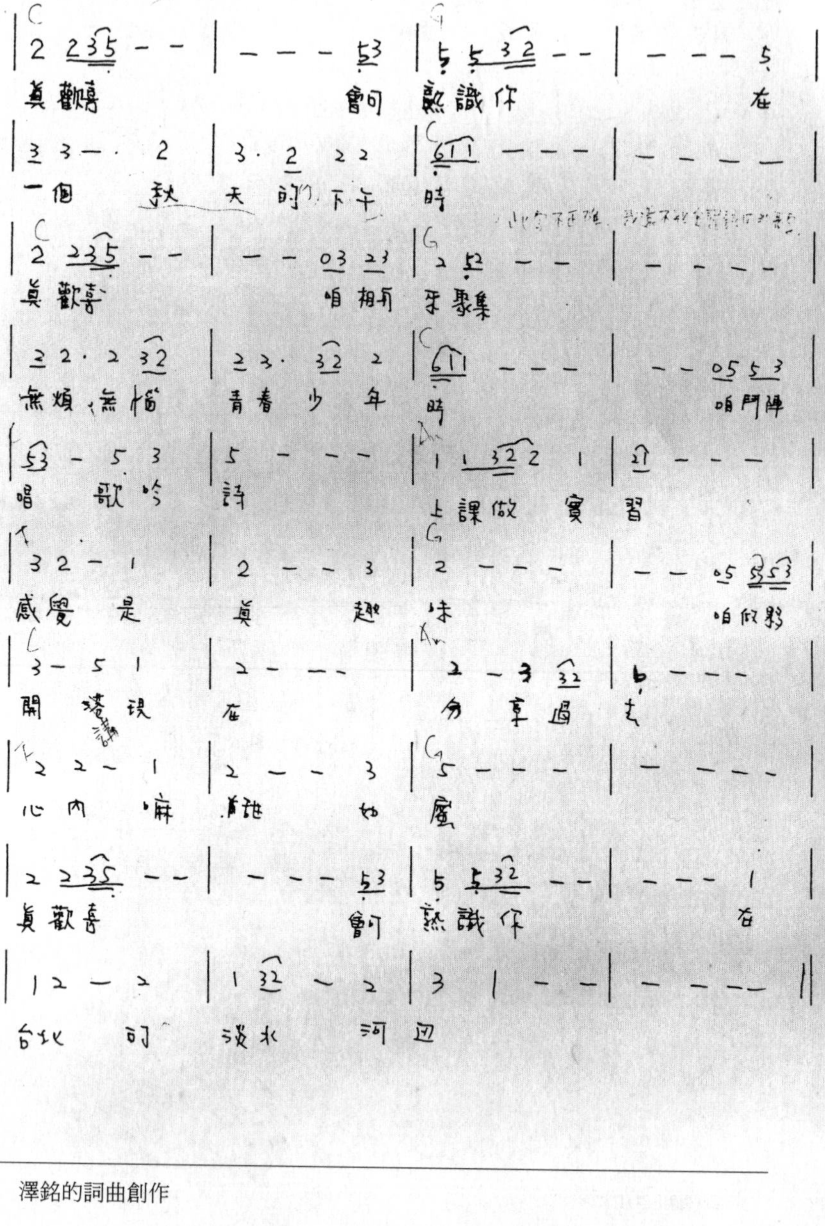

C G
| 2 235 - - | - - - 53 | 5 532 - - | - - - 5 |
真歡喜 會同 熟識你 在

C
| 3 3 - · 2 | 3 · 2 2 2 | 611 - - - | - - - - |
一個 秋 天 的 下午 時

C G
| 2 235 - - | - - 03 23 | 2 5 - - | - - - - |
真歡喜 咱相有 來聚集

C
| 2 2 · 2 32 | 2 3 · 32 2 | 611 - - - | - - 05 53 |
無煩無惱 青春少年 時 咱們陣

F Am
| 53 - 5 3 | 5 - - - | 1 1 322 1 | 21 - - - |
唱 歌吟 詩 上課做 實 習

F G
| 3 2 - 1 | 2 - - 3 | 2 - - - | - - 05 353 |
感覺 是 真 趣 味 咱做夥

C Am
| 3 - 5 1 | 2 - - - | 2 - 3 32 | 6 - - - |
開 講 誤 在 分 享 過 去

F G
| 2 2 - 1 | 2 - - 3 | 5 - - - | - - - - |
心內 嘛 甜 如 蜜

| 2 235 - - | - - - 53 | 5 532 - - | - - - 1 |
真歡喜 會同 熟識你 在

| 1 2 - 2 | 1 32 - 2 | 3 1 - - | - - - - ||
台北 的 淡水 河 邊

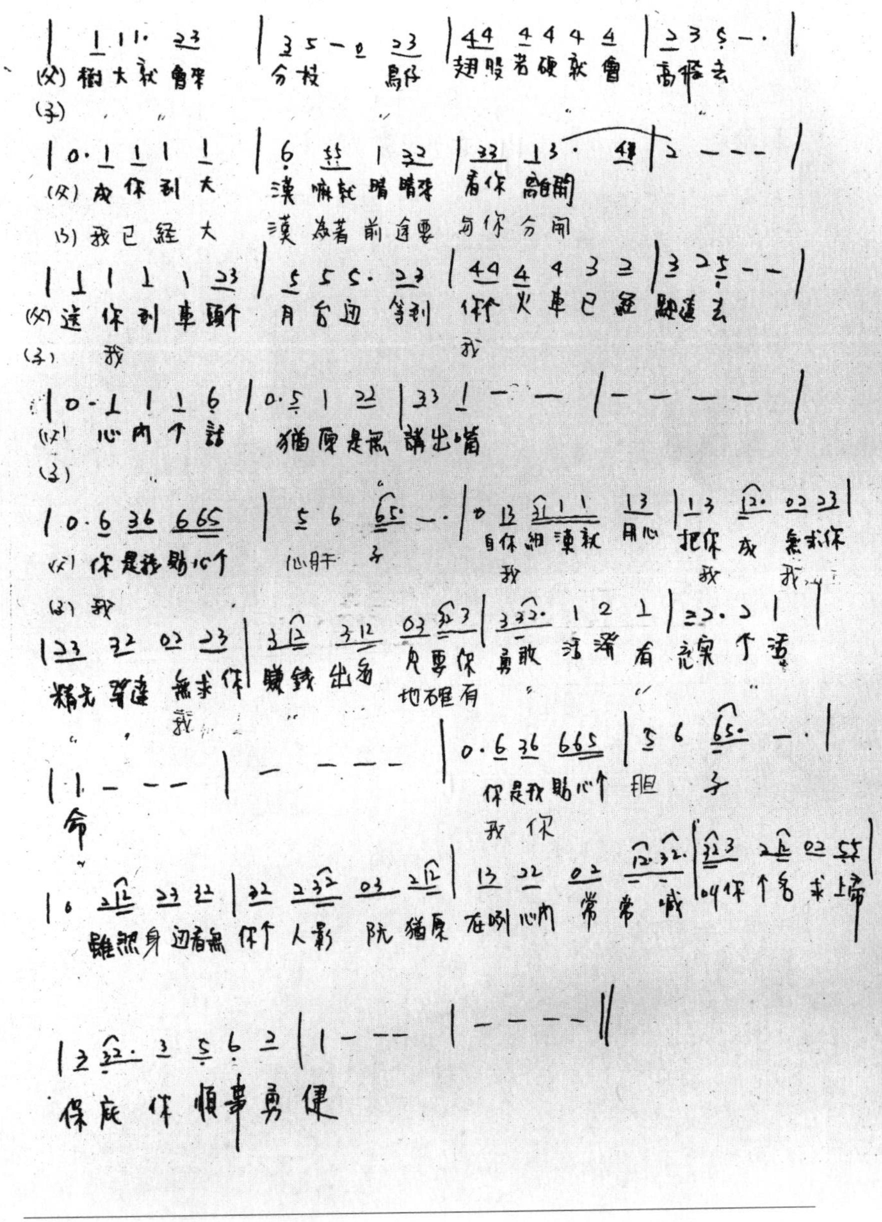

(父) 樹大就會開 分枝 鳥仔 翅股若硬就會 高飛去

(子)

(父) 我你到大 漢 嘛就 晴晴來 看你 離開

(子) 我已經大 漢 為著前途要 與你分開

(父) 送你到車頭个 月台边 等到 你个火車已經 駛遠去

(子) 我 我

(父) 心內个話 猶原是無 講出嘴

(子)

(父) 你是我貼心个 心肝 子 自你細漢就 用心 把你 成 無求你

我 我 我

(子) 我

精光 望遠 無求你 賺錢 出名 只要你 勇敢 清 楚 有 確實 个 運

地 理 有

我

命

你是我貼心个 胆 子

我 你

雖然身边看無 你个 人影 阮 猶原 在咧心內 常 常 喊 叫 你 个 名 求上帝

保庇 你 順 事 勇 健

國家圖書館預行編目資料

失去你的3月4日／李玟萱著. -- 初版. --
臺北市：寶瓶文化, 2008. 10
面； 公分. --(enjoy；39)

ISBN 978-986-6745-47-8(平裝)

855 97018056

enjoy 039

失去你的3月4日

作者／李玟萱
主編／張純玲

發行人／張寶琴
社長兼總編輯／朱亞君
主編／張純玲・簡伊玲
編輯／羅時清
美術主編／林慧雯
校對／張純玲・陳佩伶・余素維・李玟萱
企劃主任／蘇靜玲
業務經理／盧金城
財務主任／歐素琪 業務助理／林裕翔
出版者／寶瓶文化事業有限公司
地址／台北市110信義區基隆路一段180號8樓
電話／(02) 27463955 傳真／(02) 27495072
郵政劃撥／19446403 寶瓶文化事業有限公司
印刷廠／世和印製企業有限公司
總經銷／大和書報圖書股份有限公司 電話／(02) 89902588
地址／台北縣五股工業區五工五路2號 傳真／(02) 22997900
E-mail／aquarius@udngroup.com

法律顧問／理律法律事務所陳長文律師、蔣大中律師
如有破損或裝訂錯誤，請寄回本公司更換
著作完成日期／二〇〇八年七月
初版一刷日期／二〇〇八年十月
初版三刷日期／二〇〇八年十月七日
ISBN／978-986-6745-47-8
定價／二六〇元

Published by Aquarius Publishing Co., Ltd.

愛書人卡

感謝您熱心的為我們填寫，
對您的意見，我們會認真的加以參考，
希望寶瓶文化推出的每一本書，都能得到您的肯定與永遠的支持。

系列：Enjoy039　**書名：失去你的3月4日**

1. 姓名：________　性別：□男　□女
2. 生日：____年____月____日
3. 教育程度：□大學以上　□大學　□專科　□高中、高職　□高中職以下
4. 職業：________
5. 聯絡地址：________________
   聯絡電話：________　手機：________
6. E-mail信箱：________________
   □同意　□不同意　免費獲得寶瓶文化叢書訊息
7. 購買日期：____年____月____日
8. 您得知本書的管道：□報紙／雜誌　□電視／電台　□親友介紹　□逛書店　□網路　□傳單／海報　□廣告　□其他
9. 您在哪裡買到本書：□書店，店名________　□劃撥　□現場活動　□贈書　□網路購書，網站名稱：________　□其他________
10. 對本書的建議：（請填代號　1.滿意　2.尚可　3.再改進，請提供意見）
    內容：________
    封面：________
    編排：________
    其他：________
    綜合意見：________________
11. 希望我們未來出版哪一類的書籍：________________

讓文字與書寫的聲音大鳴大放

寶瓶文化事業有限公司

（請沿此虛線剪下）

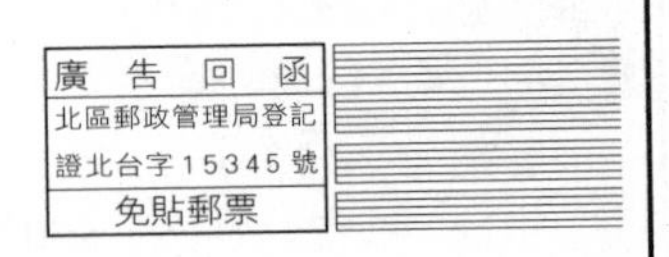

寶瓶文化事業有限公司　收

110台北市信義區基隆路一段180號8樓
8F,180 KEELUNG RD.,SEC.1,
TAIPEI.(110)TAIWAN R.O.C.

（請沿虛線對折後寄回，謝謝）